III★
secretos

# hechizos

IIIO ✪
**secretos**

# hechizos

Juan Echenique Pérsico

**LIBSA**

© 2009, Editorial LIBSA
C/ San Rafael, 4
28108 Alcobendas. Madrid
Tel. (34) 91 657 25 80
Fax (34) 91 657 25 83
e-mail: libsa@libsa.es
www.libsa.es

Colaboración en textos: Juan Echenique Pérsico
Edición: Equipo editorial Libsa
Diseño de cubierta: Equipo de diseño Libsa
Maquetación: Diseño y Control Gráfico
Ilustraciones: Archivo Libsa

ISBN: 978-84-662-1821-4

Depósito legal: CO-461-08

Impreso en España / *Printed in Spain*

# CONTENIDO

La magia o hechicería es la ciencia oculta que busca producir fenómenos extraordinarios por medio de actos y palabras rituales, o contando con la intervención de espíritus, genios o demonios. Algunos autores han hecho una distinción entre magia y hechicería, entendiendo a esta última como una práctica que procura el mal ajeno. Sin embargo, en la realidad lo único que distingue al mago bueno del malo es la intención del oficiante ya que los elementos que se emplean para conseguir efectos contrarios a las leyes naturales son los mismos.

Los resultados de una operación de magia, de un hechizo, no se producen en el mundo físico; sino en la mente del mago, quien sufre tras la ceremonia una transformación interior que le permite canalizar sus energías para que estas operen los cambios en la materia; es él quien, mediante su voluntad, dirige estas fuerzas de modo que sus deseos se cumplan. Si no se opera esta metamorfosis interior, no se obtienen resultados y la ceremonia mágica que se haya realizado será sólo un acto vacío de contenido.

La procedencia de los rituales de este libro es diversa; se han escogido aquellos cuyos ingredientes son los más fáciles de encontrar. La correcta realización de cualquiera de ellos permitirá al oficiante obtener sus deseos y, a la vez, alcanzar un mayor grado de evolución espiritual. Se desaconseja realizarlos sin el debido respeto ya que, si bien hacerlos frívolamente no ocasionará desgracias en el entorno, sí podrían producir efectos negativos sobre quien los lleve a cabo sólo por diversión.

## QUÉ SON LOS HECHIZOS

**1** Los hechizos son rituales de magia cuyo fin es cambiar la realidad según la voluntad del oficiante. La ejecución de estos ritos debe cumplirse estrictamente, ya que en ella se representa simbólicamente la voluntad del oficiante.

Los hechizos, incorporados a las diferentes creencias paganas, son rituales que se caracterizan por una estructura fija y común. Constan de seis partes:

1. **Preparación del ritual.** Antes de comenzar la ceremonia mágica es conveniente tomar una ducha o sumergirse en el mar; el agua es purificadora y cuanto más limpio esté el cuerpo, mayor libertad tendrá la mente.

   Muchos expertos aconsejan que el oficiante utilice una vestimenta que sólo emplee para hacer sus hechizos. Si bien esta no es una condición imprescindible, ayuda mucho a sincronizar las energías para que todo salga de la manera más perfecta posible.

2. **Adecuación del ambiente.** Para que una ceremonia mágica produzca los efectos deseados, es necesario que el oficiante alcance un alto grado de concentración. Tanto su mente como su cuerpo deben seguir los pasos del rito, con seguridad y con fe, por esta razón es recomendable que todos los elementos que se vayan a necesitar para celebrarlo estén dispuestos adecuadamente antes de comenzar la ceremonia.

   En la mayoría de los hechizos se suele encender una vela que, con su vibración, ayuda a crear el ambiente adecuado. A menos que en el hechizo indique lo contrario, también puede encenderse incienso para que favorezca la creación de un clima místico.

3. **Invocación.** Consiste en pedir o exigir a las fuerzas sobrenaturales que colaboren para que se produzcan los efectos buscados con el hechizo. Pueden ser palabras sencillas, que salgan del corazón y expresen el deseo, o una oración más compleja.

4. **Ceremonia mágica.** Es la parte central del ritual, el nudo. En ella se realizan las operaciones que modificarán la realidad según la voluntad del mago, con la ayuda de seres más elevados. En ella, por lo general se representa simbólicamente lo que se desea conseguir.

5. **Ofrenda a los seres invocados.** Tiene como fin el agradecer a las fuerzas sobrenaturales su colaboración y, además, conseguir de ellas una actitud benévola y complaciente. Estas ofrendas son regalos simbólicos (flores, plantar una semilla, etc.).

6. **Fin de la ceremonia.** Es la clausura del entorno mágico que se creó durante la apertura. En él se recogen todos los elementos que han sido utilizados. Es conveniente deshacerse de los que ya no se necesiten, dejándolos en un cruce de calles o caminos.

Uno de los trabajos más solicitados a quienes se dedican a realizar hechizos es el de anular trabajos de magia de otras personas, quitar el mal de ojo, desatar amarres, etc., o descubrir quién está intentando hacer daño mediante actos mágicos (destruir una pareja, provocar enfermedades, enviar desgracias y contratiempos, etc.). Por ello es tan importante conocer los medios de protección que ofrece la magia.

## DIFERENCIAS Y SIMILITUDES ENTRE LOS RITUALES

2 El análisis de los rituales mágicos de pueblos
distantes tanto en el tiempo como en el espacio
ha permitido a los antropólogos establecer que casi la
totalidad de ellos se basan en dos principios: la Ley de la
Similitud y la Ley del Contagio. Mediante la primera, se
escenifica simbólicamente lo que se desea que ocurra
para que en la realidad, el hecho se produzca de igual
modo. La segunda explica lo que se haga sobre un objeto
que haya sido tocado por una persona, repercutirá sobre
esta ya sea positiva como negativamente.

A simple vista, los rituales de magia de pueblos distantes geográficamente difieren mucho entre sí; las ceremonias para los hechizos de amor que emplean los lapones, por ejemplo, son completamente distintas de las que realizan los habitantes de la zona del Caribe o de las practicadas por los antiguos egipcios. Sin embargo, los antropólogos, que se han dedicado al estudio de la magia y de las religiones, han encontrado que los rituales de magia que siguen los pueblos de distintas épocas y lugares, salvo unas pocas excepciones, tienen una estructura similar. El antropólogo, sir James Frazer, una de las figuras más importantes en este campo, explicó que los hechizos se basan en dos leyes: la Ley de la Similitud y la Ley del Contagio. Lo curioso es que estas leyes hayan surgido en pueblos distantes, que no han tenido contacto alguno entre sí.

- **Ley de la Similitud.** Esta ley, que no ha sido formulada explícitamente pero que es seguida en los rituales de magia de todo el mundo, explica que todo lo que se produce en el ritual por medio de símbolos, gracias a las invocaciones, rezos y otros elementos del mismo se produce luego en la realidad.

En ocasiones, la Ley de la Similitud no está expresada en una ceremonia tan compleja; tal es el caso de la cura de verrugas en muchos lugares de España. Tradicionalmente, se cojen tantos garbanzos como verrugas se tengan (dada la similitud de estas con la legumbre), se ponen en un saco de tela y se tiran en un pozo al tiempo que se dice: «Verrugas traigo, verrugas vendo, aquí las dejo y salgo corriendo». En algunos lugares, en vez de tirarlos a un pozo los entierran en algún sitio por el cual no vuelvan a pasar en su vida o bien golpean la puerta de un desconocido y cuando preguntan quién es, se les contesta con el conjuro antes de salir corriendo.

- **Ley del Contagio.** La segunda ley que comenta sir James Frazer indica que todo lo que se haga a un objeto que haya estado en contacto con una persona, repercutirá sobre esta negativa o positivamente. El ejemplo más claro de este principio se observa en el vudú. Por lo general, el hechicero amasa barro, arcilla o cera, en el que mezcla pelos, trozo de uñas o cualquier otro elemento que pertenezca al futuro hechizado, y hace un muñeco que es el representante de su «enemigo», de la persona a la que quiere dañar. Todo lo que el oficiante realice sobre el muñeco será experimentado por su representado.

A la hora de hacer un hechizo para otra persona, se suele utilizar algún trozo de prenda de vestir que se haya puesto, una fotografía, cabellos o, sencillamente, su nombre escrito en un papel con el fin de involucrarla en el ritual o hacer operaciones que funcionen por la Ley del Contagio. Una práctica bastante habitual en Latinoamérica a la hora de alejar un pretendiente amoroso al que no se corresponde, consiste en poner su foto en el congelador a fin de calmar su ardor e insistencia.

## MAGIA BLANCA Y MAGIA NEGRA

**3** La división de la magia en blanca y negra es reciente; durante siglos la magia ha sido una sola y ha estado prohibida por las religiones monoteístas. Uno de los argumentos que estas han utilizado para denigrar la hechicería ha sido que los magos y brujos hacían alianza con el demonio para obtener su ayuda. Aunque no hay una división clara entre magia blanca y magia negra, se puede decir que la primera es la que se hace con buenas intenciones; y la segunda, la que nace de los sentimientos negativos como el odio, la venganza o los celos.

Durante miles de años, en las regiones donde florecieron religiones monoteístas, la magia estuvo prohibida ya que se consideraba contraria a las enseñanzas de los libros sagrados. Tanto el judaísmo como el cristianismo y el islamismo, no podían ver con buenos ojos que personas ajenas al sacerdocio tuvieran contacto con fuerzas sobrenaturales, por ello consideraron que, si los hechiceros podían superar grandes retos, eso era gracias a la ayuda que les brindaba el demonio. El hecho de estar supuestamente aliados con las fuerzas infernales, de por sí ya les hacía merecedores de los más crueles castigos.

Por otra parte, se consideraba que si alguien no dudaba en aliarse con el diablo, no podía ser buena persona, por eso se culpaba a las brujas de los fenómenos atmosféricos que motivaban la pérdida de cosechas, de las enfermedades y epidemias, de las muertes y de todos los males que sufriera la comunidad. No se hacía entonces diferencia entre una magia blanca, buena, y otra negra o mala; la hechicería siempre era negativa y contraria a la voluntad de Dios. Con el tiempo, se estableció que la diferencia entre magia blanca y magia negra es que esta

última exige algo a cambio; que el hechicero debe pactar con el demonio entregándole el alma o sirviéndole un sacrificio cruento como ofrenda; de ahí que muchos aún desconfíen de aquellos ritos en los cuales se mata un gallo, habituales en corrientes religiosas afroamericanas. Sin embargo, este tipo de concesiones que se hacen a las fuerzas sobrenaturales, han sido comunes los rituales y ceremonias religiosas de todas las épocas ya que la opinión general es que que los sacrificios de sangre son los que más complacían a los dioses. En la actualidad, la mayoría de los expertos estiman que la magia negra es aquella que coarta la libertad del individuo hacia el cual se dirige el hechizo, que no le permite elegir sino que le obliga a realizar determinadas acciones o a experimentar sentimientos definidos por el hechicero durante la ceremonia o la invocación, aunque se realice pidiéndole ayuda a los santos y a figuras religiosas notables por su bondad. Partiendo de esta idea, cualquier operación mágica destinada a enamorar, caería dentro de lo que se considera magia negra, ya que tiene como objetivo hacer que alguien sienta amor o rechazo por otra persona.

Según otras opiniones, se considera magia negra aquella en la que se invoca o pide ayuda a las fuerzas del mal, a los demonios, sobre todo para realizar trabajos en los cuales otra persona salga dañada; para realizar hechizos que tengan como objetivo el provocar enfermedades, locura, la pérdida de un trabajo o conseguir que todo intento por salir adelante se frustre. Aunque cuesta creer que haya personas que destinan su conocimiento, su tiempo y su voluntad en provocar estos males, lo cierto es que las hay, por ello es importante conocer los rituales para detectar los trabajos de magia que puedan perjudicar a alguien y conocer los que están destinados a anularlos.

## ADVERTENCIAS GENERALES

4 Antes de iniciar un ritual de magia debe evaluarse si la situación y el momento son los más adecuados para llevarlo a cabo. Los propósitos que muevan a ejecutarlo deben ser estudiados previamente, descartando la posibilidad de que estén alentados por emociones intensas pero momentáneas. Además, tanto la mente como el cuerpo deben encontrarse en condiciones óptimas que permitan la concentración y el manejo de las energías que se ponen en juego durante la ceremonia. El incumplimiento de estas normas básicas puede hacer que los resultados sean contrarios a los esperados.

La tradición recomienda que, bajo las siguientes circunstancias, jamás deben realizarse hechizos u operaciones mágicas:

- **Después de haber mantenido una discusión.** Cuando tenemos un cruce de palabras acalorado, somos presa de emociones negativas y en el cuerpo se producen una serie de reacciones químicas destinadas a preparar el organismo para la lucha o para la huída que alteran el silencio interior necesario para el ritual.
- **Después de comer.** En los trabajos complicados de alta magia es importante que el oficiante guarde previamente ayuno, pero en los más sencillos sólo es necesario asegurarse de que el organismo no está realizando la digestión. La razón es que después de ingerir alimento, el sistema circulatorio envía una mayor cantidad de sangre a los órganos del aparato digestivo con el fin de procesar el alimento y disminuye el flujo que envía al sistema nervioso. La consecuencia de ello es que se produce una menor oxigenación dificultando la concentración.

- **Cuando se tenga sueño o cansancio.** Los trabajos de magia requieren la máxima concentración y eso supone un esfuerzo para la mente y para el cuerpo. Antes de iniciar cualquier ritual, es aconsejable evaluar si se cuenta con las energías necesarias como para llevarlo impecablemente a cabo, desde el principio hasta el final.

- **Si el entorno no es el adecuado.** Los hechizos deben ser realizados en soledad y con el máximo recogimiento; por ello se desaconseja llevarlos a cabo en lugares ruidosos, en habitaciones a las que necesiten entrar otras personas, en momentos en los que pueda sonar el teléfono y ello suponga una distracción, etc.

- **Si no se cuenta con el tiempo suficiente.** No se puede esperar que un trabajo hecho con prisas dé buenos resultados.

- **En caso de no tener claros los objetivos.** Un hechizo no puede ser hecho caprichosamente ni bajo la motivación de una emoción pasajera. Hay casos en los que, llevados por una furia momentánea, desearíamos causar el mayor daño posible a quien nos ha suscitado la ira sin embargo, si a las dos o tres horas nos enterásemos de que nuestro afán se ha cumplido, nos sentiríamos culpables y acongojados ya que nuestro deseo era una idea momentánea que nunca se nos hubiera ocurrido estando serenos.

Antes de realizar cualquier trabajo de magia, es necesario sopesar con sumo cuidado todos los efectos que se producirán; los pros y los contras del resultado del ritual. Esta recomendación es especialmente importante para los trabajos destinados a solucionar problemas amorosos ya que, en estos casos, las emociones pueden confundirnos y no dejarnos ver claramente los sentimientos profundos que alberga nuestro corazón. Los trabajos de magia deben realizarse con la mente serena y fría ya que sus efectos, una vez que se han producido, son muy difíciles de anular.

## La importancia de la fe

5 La fuente más importante de energía psíquica que se pone en marcha a la hora de hacer un hechizo es la fe; gracias a ella es posible concentrar la voluntad y el deseo de manera que los hechizos produzcan los resultados buscados. Para reforzarla, lo mejor es empezar por aquellos rituales destinados a lograr efectos más o menos previsibles, a reforzar las posibilidades de conseguir algo que no está fuera de nuestro alcance, dejando para más adelante aquellos rituales cuyos resultados sean más difíciles de conseguir.

El ser humano tiene, en su interior, dos tipos de energías: la **física**, que emplea para modificar el mundo material y ajustarlo a sus necesidades; y la **psíquica** que interviene en procesos intelectuales, afectivos y espirituales. Gracias a este segundo tipo de energía consigue la concentración adecuada para conocer su entorno y categorizarlo; transmite sus experiencias o sentimientos a las personas que le rodean; planifica sus acciones imaginándolas previamente en su mente a fin de cometerlas sin errores; tiene conciencia de sí mismo y de la inmensidad del universo, alcanzando con ello la sabiduría y la evolución espiritual.

Estos dos tipos de energía están en una continua interacción; a la hora de aprender una nueva técnica, por ejemplo, el cuerpo efectúa los movimientos necesarios gracias a la energía física pero necesita la ayuda de la energía psíquica para poder concentrarse y realizar la tarea. De nada sirve poder mover el cuerpo si el movimiento no tiene el sentido que le da la razón o los sentimientos.

La energía física se obtiene básicamente de los alimentos; un cuerpo cuidado y correctamente nutrido podrá hacer esfuerzos mucho mayores que uno débil. La energía mental, en cambio, aunque también se alimente de la combustión de los nutrientes ya que está asentada en el cuerpo físico, tiene otra fuente de abastecimiento sin la cual es difícil que se genere. Esa fuente es la fe.

La creencia firme en los resultados hace que tengamos las ganas suficientes como para iniciar un trabajo difícil y que perduremos en él; la fe nos da fuerzas para soportar los momentos de tensión y para enfrentarnos a las situaciones difíciles y nos aporta una energía extra tanto física como psíquica. Un atleta que no tenga la seguridad de poder establecer una marca, seguramente no podrá hacerla y fracasará en su intento porque reservará parte de sus energías para consolarse en caso de que saliera mal. A la hora de hacer cualquier trabajo de magia la fe es imprescindible porque será la que nos provea las energías psíquicas para llevarlo a cabo con éxito. Su carencia no implica riesgo físico alguno; se puede efectuar un ritual completo aun pensando que no va a tener ninguna utilidad y ello no provocará ninguna desgracia. Sin embargo, sí tendrá como efecto el disminuir las energías psíquicas y, más aún, si cabe, la poca fe que podíamos tener antes de comenzarlo ya que con ello se querrá constatar que la magia no es efectiva, como algunos suponen. Esto haría que, si en algún momento posterior quisiéramos hacer cualquier otro hechizo, nuestra fe sería aún menor y, por ello, imposible de reunir la fuerza y concentración necesarias para que diera el resultado buscado. En caso de que se tengan fuertes dudas acerca de las posibilidades de lograr el éxito en cualquiera de los hechizos, lo mejor es aplazar su ejecución hasta el momento en que se tenga la certeza de que se va a producir el efecto buscado.

## LOS CUATRO ELEMENTOS DEL UNIVERSO

**6** Hace miles de años, el hombre descubrió que el universo estaba formado por cuatro sustancias básicas: tierra, agua, aire y fuego. Las operaciones mágicas consisten en combinar estos elementos empleando, además, objetos simbólicos que, con el poder de la voluntad y el auxilio de fuerzas sobrenaturales, obran hechos portentosos en el entorno.

Una de las preocupaciones de los filósofos de la antigüedad fue definir cuáles eran los materiales primordiales que formaban el universo, sobre todo la materia en oposición del espíritu, y la conclusión a la que llegaron es que estaba formado por **tierra**, **agua**, **aire** y **fuego**. La tierra es lo sólido, lo que se puede ver y tocar, que tiene forma propia; el agua, lo líquido que se puede percibir por la vista y el tacto pero que no tiene forma definida sino que adopta la del recipiente que la contiene. El aire es el elemento gaseoso primordial de la atmósfera, el oxígeno necesario para los seres vivos y el fuego, el gran transformador, la energía en su plena manifestación; a estas cualidades se le suman otras dos: cada uno de ellos puede ser frío o caliente, por un lado, y seco o húmedo, por el otro. Esta concepción dio origen a la teoría de los cuatro temperamentos, basada en los humores del cuerpo humano.

- La tierra, fría y seca, se relaciona con la bilis negra, el temperamento melancólico y el otoño.
- El agua, fría y húmeda, se vincula con la flema, el temperamento flemático y el invierno.
- El aire, caliente y húmedo, está relacionado con la sangre y el temperamento sanguíneo; se corresponde con la primavera.

- El fuego, caliente y seco, se relaciona con la bilis amarilla, el temperamento colérico y el verano.

Es muy importante tener el mayor conocimiento posible de estos elementos ya que le ayudará a encuadrar adecuadamente la situación que quiera resolver según los elementos que la compongan y también a emplear los medios que más se adecúen a la ejecución del ritual. En la magia amorosa, el temperamento de las personas que se deban unir o separar puede ser muy significativo y una de las claves la da la astrología: hay tres signos que se corresponden con cada uno de los cuatro elementos: **signos de tierra:** Tauro, Virgo y Capricornio; **signos de agua:** Cáncer, Escorpio y Piscis; **signos de aire:** Géminis, Libra y Acuario; **signos de fuego:** Aries, Leo y Sagitario. Aunque toda situación puede ser entendida o calificada en cuanto a su vinculación con la tierra, el agua, el aire y el fuego, habitualmente se entiende que cada uno de los elementos ocupa una esfera en la vida del hombre:

- La tierra se relaciona con su mundo puramente material.
- El agua se vincula al mundo de las emociones y sentimientos.
- El aire representa el mundo intelectual, los pensamientos y los ideales.
- El fuego representa la voluntad, la capacidad de transformación del entorno según los propios deseos, y con la espiritualidad.

Las diferentes uniones de estos compuestos que realice el mago repercutirán en la realidad circundante haciendo que se cumplan sus deseos. La comprensión de los símbolos es fundamental a la hora de concentrar dicha voluntad, de orientar el pensamiento de modo que los hechizos produzcan el efecto buscado.

## INGREDIENTES ESENCIALES

**7** Entre los ingredientes empleados con mayor asiduidad en los ritos de todo el mundo, además del agua y el fuego representado por las velas, se encuentra la sal, el azúcar y los cítricos. Las semillas se utilizan porque representan el crecimiento, la vida; y el hierro, a menudo en forma de clavos o alfileres, porque simboliza entre otras cosas la voluntad y la fuerza. Las cadenas, cintas y cordones representan aquello que se quiere unir o amarrar.

Una característica común a la magia utilizada por diferentes pueblos es que en ellas se emplean los elementos más fáciles de encontrar en el entorno. Si para hacer un hechizo de amor en un lugar geográfico determinado utilizan semillas de calabaza, por ejemplo, en otro pueden emplearse las semillas de otra planta de la misma familia o de una especie similar (que tenga frutos grandes, hojas redondas, flores amarillas, etc.) o bien realizar un ritual en el que se sigan los mismos pasos pero con diferentes ingredientes.

En las regiones selváticas donde la vegetación es abundante, resulta más común el empleo de ingredientes vegetales en los hechizos; las hojas, frutos, semillas, ramas y raíces son utilizadas como símbolos de situaciones, personas, sentimientos, etc. a la hora de realizar el trabajo.

Los pueblos que tienen una gran superficie costera o que viven en islas, en cambio, emplean más a menudo conchillas, cantos rodados, arena o espinas de pescado y los de zonas con una fauna abundante o con tradición de caza, los huesos de pequeños animales o los huevos de algunas aves del lugar.

Además de estos ingredientes que podríamos calificar de autóctonos, hay otros que, por su gran importancia simbólica, son comunes a todos los pueblos; el agua, por ejemplo, está presente en una gran cantidad de hechizos relacionados con el amor ya que representa el mundo de los sentimientos. Otro tanto ocurre con el fuego, el gran catalizador, la energía que permite la transformación de los objetos materiales, que ayuda a que se fundan unos con otros tal y como ocurre en el caso de la cocción de los alimentos.

La sal es otro de los elementos que se ha utilizado tanto en los hechizos como en los baños de purificación, ya que posee la cualidad de retener el agua y de evitar la putrefacción. El azúcar, sobre todo la que se obtiene de la caña y la miel es común en los trabajos de magia amorosa ya que la dulzura se asocia con el mundo afectivo.

Las plantas aromáticas y las especias son las mayores aliadas de los brujos. Aunque al emplearlas en la cocina no notemos sus efectos más que en el sabor que imprimen a los alimentos, contienen potentes principios activos que modifican la conciencia.

Los metales suelen estar presentes en forma de cadenas, argollas, alfileres y clavos no sólo por las funciones que éstos cumplen (amarrar, hendir la madera, etc.) sino, también, porque debido a su tamaño son los más fáciles de manejar; los objetos de hierro de mayores dimensiones no solían estar al alcance de quienes, a lo largo del tiempo, han ido creando estos rituales.

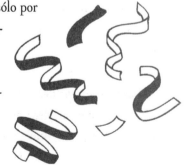

## Las velas

**8** Desde el momento de su invención, las velas han estado siempre presentes en los oficios de diversas religiones. Por un lado, se emplearon para iluminar los templos pero, por otro, para honrar con el fuego a las divinidades. Cada vela, según su color, potencia en el alma un tipo diferente de energía; la pone en movimiento modificando positivamente la conducta del sujeto y provocando con ello el cumplimiento de sus deseos.

A partir del siglo IV los cirios se han empleado como ofrenda a Dios, a la Virgen o a los santos, para darle las gracias por los favores concedidos o bien como forma de pedirles ayuda frente a un problema. Como el fuego es la energía pura que representa la voluntad y el poder, es ampliamente utilizado en los rituales de magia y hechicería, casi siempre en forma de velas. En ellas están representados los cuatro estados de la materia: sólido (la cera y el pabilo); líquido (la cera derretida); gaseoso (el humo que desprende cuando arde) y energético (la llama).

El color es un aspecto importante de la liturgia con velas ya que cada uno de ellos se vincula a un tipo de situación específico. El deseo que se pide con el hechizo será el que determine cuál es el más adecuado. Los más habituales son:

- **Amarillo.** Este color se relaciona con el intelecto de modo que puede emplearse en caso de que la energía psíquica necesaria para realizar cualquier ritual no sea la suficiente. Está presente en aquellos trabajos destinados a mejorar el rendimiento académico.

- **Anaranjado.** En las velas de este color participa la energía del rojo y la del amarillo; es decir los aspectos intelectuales integrados con los afectivos.
- **Azul claro.** Este es un color frío de manera que la energía que desprenden estas velas calman las pasiones, aplacan la ira, despejan la mente. Con ello promueven un entorno de paz y bondad.
- **Azul oscuro.** La profundidad de este color activa el intelecto capacitándolo para comprender todo aquello que se vea alterado por diferentes emociones.
- **Blanco.** Asociado a la pureza, este color contiene la suma de todos los demás por ello resume las buenas cualidades que hay en nuestro interior.
- **Dorado.** Como color propio del oro, el metal más valioso por su incorruptibilidad, se asocia al dinero, a los bienes.
- **Gris.** Color neutro y frío apto para detener el mal.
- **Morado.** Este color se obtiene con la mezcla del rojo y el azul, con predominio del primero de manera que sus energías apuntan a la fuerza de voluntad para acometer empresas intelectuales.
- **Negro.** Es la ausencia de color, la negación, la restricción.
- **Plateado.** Es el color del acero, de las armas y su vibración genera fuerza interior, adecuada para combatir los sentimientos negativos.
- **Rojo.** Es el color del fuego y del corazón, por ello simboliza la pasión amorosa.
- **Rosado.** Este color exalta los aspectos más espirituales o sentimentales de la relación amorosa.
- **Verde.** Es el color de la tierra, de la fertilidad, de la vida.
- **Violeta.** Color indicado para conseguir la concentración y la elevación espiritual.

## LA SAL

**9** La sal de mesa común ha sido usada por los magos de todos los tiempos debido a sus poderes. El cristianismo, que la emplea en actos litúrgicos como el del bautismo, probablemente haya seguido la idea que tenían de ellos los romanos: que era útil para purificar cualquier persona, alimento o entorno. Es particularmente muy utilizada en los rituales de limpieza ya que, cuando se calienta, atrae partículas nocivas de la atmósfera.

Este mineral ha estado siempre presente en los rituales mágicos de aquellas culturas para las que era relativamente fácil conseguirla ya que, por sus características y usos, se le atribuyeron propiedades purificadoras. Por ello los magos solían guardar sus herramientas de trabajo rodeadas de sal ya que, por una parte, esta absorbía la humedad protegiendo los elementos de bronce de la oxidación y por otra, servía para alejar las entidades negativas.

La costumbre de echar sal sobre el hombro izquierdo para alejar al Maligno surgió de la idea de que en el hombro derecho se posa el ángel y en el izquierdo el demonio. La presencia de este mineral es casi indispensable en los rituales de purificación y ampliamente utilizada en los de diversos tipos. Una manera efectiva de protegerse contra hechizos es colocar debajo de la cama y a la altura de la cabeza un vaso de agua con una cucharada de sal gorda. Con la sal también se pueden realizar potenciadores. Estas sustancias se hacen añadiendo a la sal dos o más especias que tengan un poder definido.

- **Para purificar el cuerpo o un lugar:** sal, laurel y zumo de limón.
- **Para atraer el dinero:** sal, pimienta negra y semillas de sésamo.

- **Para el deseo sexual:** almendras, avellanas y nueces con sal.
- **Para potenciar la mente:** semillas de mostaza molidas, sal y vinagre.
- **Contra la envidia:** hojas de puerro picadas, sal y guindilla.
- **Para alejar los malos espíritus:** sal, albahaca y cebolla.
- **Para atraer el amor:** sal, aceite de oliva y albahaca.
- **Para protección personal:** sal, ajo machacado y menta.
- **Para combatir el cansancio:** sal, anís estrellado y hierbabuena.

En caso de que se quiera purificar con estos potenciadores un lugar, como por ejemplo la casa, se puede depositar un poco de la mezcla en cada uno de los rincones o bien disolverla en agua y luego salpicar con ella las diferentes habitaciones. El requisito indispensable es la concentración previa, el fuerte deseo de que lo que se está pidiendo, se cumpla. La sal, en sus distintas formas, también ha sido asociada a aromas florales que, naturalmente, tienen su propio poder. En este caso se emplean para baños de inmersión o, como en el caso anterior, para salpicar con ella las diferentes estancias.

- **Para aumentar el poder de seducción:** sales de gardenia.
- **Para atraer la prosperidad:** sales de almendra.
- **Para armonizar el organismo:** sales de lavanda.
- **Para restaurar el equilibrio de la energía:** sales de lila.
- **Para incrementar la espiritualidad:** sales de magnolia.
- **Para despertar el amor de otra persona:** sales de rosa.

En muchos de los hechizos que se explican en este libro la sal figura como uno de los elementos necesarios para ponerlos en práctica. Si no se advierte lo contrario, el tipo más adecuado es la sal gorda que está menos refinada y es más natural.

## EL INCIENSO

**10** El uso de inciensos y esencias aromáticas en los trabajos de magia es fundamental ya que el olor que desprenden estas resinas actúa no sólo sobre el olfato sino, también, sobre las emociones. Su aroma prepara y purifica la mente y el espíritu a fin de que puedan desplegar las energías y la voluntad necesaria para que el hechizo que se está realizando, se cumpla.

La costumbre de quemar resinas aromáticas es muy antigua. Según los datos extraídos de las excavaciones arqueológicas, era relativamente común en Egipto, hace más de 3.000 años, y en India. Durante siglos se empleó la resina y la corteza del Árbol de Incienso en sus dos variedades: una especie pequeña que presenta uno o varios troncos, originaria del nordeste de África y otra, de similares características, procedente de India. Estos árboles exhudan una resina gomosa y aromática que, molida con la corteza, raíces y hojas, desprende un humo blanco al ser quemada. Por esta razón, en los países en los que se empleó, recibió diversos nombres según la región pero con un significado común: «blanco». Posteriormente, en Roma, adoptó el nombre con el que hoy lo conocemos y que proviene del latín *incendere*, que significa «encender».

Otras dos resinas que también se emplearon para tales efectos son la mirra, procedente de Somalia, y el benjuí, de Sumatra y Java.

En la actualidad, el incienso puro se consigue en los comercios dedicados a la venta de artículos para iglesias ya que lo más común es que las varas que se compran en los demás han sido elaboradas añadiendo otras resinas (pino, rosas, violeta, almizcle, etc.). Lejos de constituir un problema, esto es una ventaja ya que se pueden quemar esencias específicas para cada tipo de hechizo:

- **Amor:** rosa, almizcle, ámbar.
- **Dinero:** mirra, sándalo, benjuí.
- **Equilibrio interior:** violeta, incienso puro, benjuí.
- **Protección y limpieza:** mirra, incienso puro, pino.
- **Salud:** pino, eucalipto.
- **Trabajo:** estoraque, violeta (trabajo intelectual), cedro.

Como los aromas suelen ser muy penetrantes, se recomienda no mezclarlos a partes iguales hasta no tener la certeza de que formen una combinación agradable al olfato. Para ello bastará machacar en un mortero las varillas o conos hasta convertirlos en polvo. Si se quiere potenciar el dinero y la salud, por ejemplo, conviene hacer dos preparados:

- Tomar una vara de incienso de pino o eucalipto y otra de mirra, sándalo o benjuí, que sean del mismo tamaño.
- Dividir cada una de las varas en diez partes.
- Separar una de las diez partes, de cada vara.
- Poner el resto de la vara de pino o eucalipto en un mortero (o en un papel doblado a la mitad) y añadirle el trozo que se ha cortado de la vara de mirra, sándalo o benjuí.
- Molerlo bien, quitando la madera que hay en su interior (si se ha puesto sobre el papel, utilizar un rodillo de cocina para machacarlo).
- Guardar esta mezcla como «incienso n.º 1» y proceder igual con el resto para obtener el «incienso n.º 2».
- Encender ambos inciensos por separado (unos días el n.º 1 y otros, el n.º 2).

## CINTAS, CORDONES Y CADENAS

**11** Las cintas, los cordones y las cadenas, por la función que cumplen en la vida cotidiana, se emplean en muchos rituales de magia para simbolizar aquello que se quiere atar, unir, reunir, retener o separar. Como los efectos de todo rito pueden ser permanentes, antes de unir a dos personas es fundamental tener plena conciencia de que la unión puede ser para toda la vida, de ahí que los amarres sean muy poco recomendables.

La magia opera a través de los símbolos de manera que en muchos rituales se representa, con diversos elementos, aquello que se desea para convocarlo y que se produzca. En este sentido, las cintas, cordones y cadenas han cumplido un papel muy importante en los hechizos ya que su función primordial es la de sujetar, unir, reunir y retener. Un cordón, según su color, puede simbolizar el lazo amoroso entre dos amantes; también puede ser lo que sujete el dinero a fin de que no se malgaste o que no sea robado ni perdido. Con una cinta bien empleada en un ritual, se puede retener el puesto de trabajo ante la amenaza de cierre de empresa o de recorte de plantilla o reunir armoniosamente, como si se tratara de un ramo de flores, a los miembros de una familia conflictiva; los usos de estos elementos son sumamente variados y lo importante, en primer lugar, es saber qué simbolizan.

En los nudos, la cinta o el cordón se enrosca sobre sí mismo, lo que da una mayor densidad. Con ellos se simboliza la voluntad que se ejerce para que el hechizo haga su efecto o para que los cambios que se desean se produzcan y se asienten. El hacerlos a lo largo de cualquier rito, expresa la enfatización de las palabras que se pronuncian mientras la operación se lleva a cabo. Pero así como las cintas y cordones sirven para amarrar, para unir, también pueden ser empleadas para liberar. Si se representa una situación de bloqueo mediante una cinta, por ejemplo, la liberación estaría representada por el hecho de cortar el nudo, de desatar lo que está unido. Un buen ejemplo sería un ritual destinado a que una madre liberara la presión que ejerce sobre uno de sus hijos: podría comenzarse preparando antes una cinta en cuyos extremos se ataran los nombres de ambos. En un momento dado, en el ritual, se podría cortar la cinta en dos liberando de esta manera al muchacho de la sobreprotección de la madre.

En las cintas y cordones que se emplean en magia, al igual que en las velas, el color es fundamental (ver Las velas) ya que cada uno de ellos emite una vibración diferente, acorde con un tipo de tema o situación.

Las cadenas, aunque pueden ser empleadas con el mismo fin que los elementos anteriores, tienen características diferentes a las de cintas y cordones; no son de una sola pieza sino que están formadas por eslabones que se pueden separar de ahí que permitan, amén de las mencionadas, aplicaciones destinadas a otros fines. Si con la cadena se representa el lugar de trabajo, por ejemplo, uno de los eslabones podría simbolizar al jefe o a un compañero. La separación de este del resto de la cadena en un ritual, daría como resultado la marcha de dicha persona de la empresa o del departamento, siempre y cuando se siguieran escrupulosamente todos los pasos del hechizo y se contara con los demás ingredientes.

# PREPARACIÓN ANTES DE LA CEREMONIA

**12** La conexión entre cuerpo y mente es indisoluble por ello no basta con estar mentalmente preparado para efectuar un ritual; también el cuerpo debe cumplir ciertos requisitos para conseguir la óptima concentración y conexión con las fuerzas sobrenaturales. Es fundamental que esté completamente limpio y, a ser posible, purificado mediante uno de los rituales que se realizan a tal efecto. Las extremidades y los cabellos son puntos por donde se capta la energía, por eso es necesario estar descalzo y llevar el pelo suelto.

Para realizar con éxito un hechizo es necesario que tanto el cuerpo como la mente estén dispuestos a recibir las energías que se desplegarán durante la ceremonia. Es importante tener en cuenta que será el organismo el vehículo que establezca contacto con ellas, razón por la cual debe encontrarse en el mejor estado posible. Hay unas cuantas recomendaciones al respecto, que sirven como paso previo, de preparación, a los diferentes rituales:

- **Tener el cuerpo limpio.** Lo mejor, es ducharse un rato antes de comenzar pero si esto no se pudiera hacer, al menos deberán lavarse escrupulosamente las manos y los pies con agua y jabón y no utilizar ningún tipo de crema o aceite hasta no haber finalizado el trabajo. Para purificarlo debidamente, hay muchos rituales, algunos de los cuales se explicarán en los puntos siguientes.
- **Utilizar ropa blanca.** Este color, es la suma de los demás y, también, símbolo de pureza. Lo mejor es tener prendas de este color que sólo sean empleadas a la hora de hacer los hechizos, como si se

tratara de un hábito o la bata de un médico. Deben ser holgadas, de forma que no alteren ni di-
ficulten la circulación (con la consiguiente oxigenación del cerebro). Como en algunos
rituales se trabaja con fuego, es preferible que
no tengan mangas amplias para evitar posibles
quemaduras; estas deben estar bien ceñidas a los
brazos. Tampoco deben utilizarse gomas o elásti-
cos que compriman la cintura o las muñecas.Si no

se pudiera emplear ropa blanca, lo mejor es que sea de tonos claros.
Otra buena medida es armonizar el color de la vestimenta con el tipo
de deseo que se va a pedir y que, seguramente, estará presente en los
elementos que se empleen para el ritual (cintas, velas, etc.).

- **Los pies descalzos.** Desde el momento que se inicie el ritual, e incluso en los momentos previos empleados para concentrarse, es conveniente que los pies estén descalzos, que las plantas mantengan contacto físico con el suelo firme.

- **Cabellos sueltos y secos.** Al igual que las manos y los pies, los cabellos pueden ser comparados con antenas que captan la energía; por
ello es muy importante que estén sueltos y no sujetos por gomas, pa-
sadores o cintas.

- **Estar relajado.** La quietud de la mente es esencial para obtener un
buen resultado de cualquier ritual. Para conseguirlo, hay múltiples
ejercicios basados en recorrer mentalmente todo el cuerpo, desde los
pies hasta la cabeza, sintiendo que todos los músculos se distienden. Se
acompaña con una respiracíon lenta, serena y sin esfuerzo.

- **No deben utilizarse adornos.** Los anillos, las pulseras y los pendientes suelen ser metálicos y contener piedras. Estos objetos tienen
su propia carga energética que podría aumentar o contrarrestar la
de los elementos del ritual.

## Purificación con los cuatro elementos

**13** Los cuatro elementos representan las diferentes herramientas psíquicas que nos permiten conocer y comunicarnos con el mundo exterior. También los cuatro estados de la materia.

Este ritual sirve para limpiar el entorno de las energías nocivas y prepararlo a fin de realizar cualquier hechizo, independientemente de la índole que sea. También purifica la mente y cuerpo de la persona que lo realiza. Los cuatro elementos, tierra, agua, fuego y aire, representan por un lado el mundo material en el que nos movemos y actuamos; por otro, al hombre en sí y a sus mundos interiores. La tierra se vincula con el cuerpo físico; el agua, con sus sentimientos; el aire, con sus ideas y pensamientos y, por último, el fuego con su voluntad.

### Elementos necesarios

Un cuenco con tierra o arena – Cuatro velas blancas – Un vaso de agua – Cuatro semillas de calabaza – Media cucharadita de miel – Una vara de incienso – Una piedra blanca, pequeña – Un paño o mantel blanco.

### Preparación previa

Este ritual de purificación deberá realizarse en la habitación en la que luego se lleven a cabo los demás hechizos. Es mejor que el cuenco escogido para poner la tierra no se haya empleado para otros fines; que sea nuevo.

## RITUAL

- Sobre un mantel o paño blanco, depositar el cuenco con la tierra o arena.
- Echar la miel en el vaso con agua y poner este a la derecha del cuenco.
- A su izquierda, disponer las semillas y la piedra.
- Delante del cuenco poner las velas y el incienso. Este puede estar sobre un dispositivo que lo mantenga erguido y, a su vez, sobre un papel de modo que se puedan recoger fácil- mente sus cenizas.
- Antes de iniciar el ritual, lavarse bien las ma- nos dejándolas secar al aire libre.

## BAÑO DE PURIFICACIÓN CON ROSAS

**14** ORACIÓN 1
Como funde la cera de esta vela
que el poder abrasador del fuego
disuelva las impurezas de mi cuerpo.
Que su luz que deshace las sombras de la noche
disuelva de mi mente todo pensamiento negativo.

ORACIÓN 2
Agradezco al poder del agua que ha limpiado mi cuerpo.
Agradezco a las plantas que lo ha librado de impurezas.
Agradezco a la sal que ha cicatrizado mis heridas.
Tengo la mente inmaculada, dispuesta a recibir nuevas energías.

Es el más apropiado para preparar el cuerpo a fin de realizar algún trabajo de magia relacionado con el amor. Debe comenzarse dos días antes de la fecha en la que se desea hacer el ritual teniendo en cuenta que es mejor hacerlo siempre a la misma hora.

### ELEMENTOS NECESARIOS

Una rosa blanca y otra roja – Cinco hojas de menta o de hierbabuena – Una vela blanca y una vela roja – Un limón – Una cucharadita de sal – Una olla con dos o tres litros de agua.

Si no se pueden conseguir rosas frescas se pueden emplear pétalos secos junto con dos o tres hojas y el trozo de una rama. En el caso de la menta y hierbabuena, se pueden sustituir por una cucharadita de hojas secas que se emplean en la cocina.

## PREPARACIÓN PREVIA

- Añadir la sal a la olla con agua, mejor si es mineral.
- Quitar los pétalos a las rosas y añadirlos al agua; luego agregar también los tallos cortados en trozos, y las hojas.
- Echar en la olla la menta o hierbabuena.
- Exprimir el limón y añadir el zumo a la preparación. Pelar la cáscara a fin de obtener sólo la parte externa amarilla, lo más fina posible, y agregarla también al agua.
- Poner la cazuela al fuego, encender la vela roja y dejarla en la cocina.
- Cuando el agua rompa a hervir, dejarla a fuego lento durante 15 minutos transcurridos los cuales se deberá apartar la olla del fuego y apagar la vela roja en el agua.
- Esperar a que la preparación se enfríe, y colarla.

Con la infusión que se ha preparado, se deberán hacer tres baños en tres días seguidos y de ser posible a la misma hora, siguiendo un ritual. Se puede dividir el líquido en tres porciones y tenerlo así preparado o bien tener el cuidado de usar sólo una tercera parte cada día.

## RITUAL

- Poner la tercera parte del líquido en una jofaina. Si la cantidad resulta escasa, añadirle un poco de agua fría.
- Encender la vela roja recitando la Oración 1.
- Concentrándose en el acto de purificar el cuerpo, tomar con la mano izquierda

un poco del agua que se ha preparado y mojar con ella el antebrazo, partiendo desde el codo hasta la mano.

- Emplear la mano derecha para mojar el antebrazo y la
mano izquierda.
- Con las dos manos, mojarse la cara de arriba hacia
abajo; desde la frente hasta la barbilla.
- Humedecerse con ambas manos los cabellos.
- Echarse el líquido que ha sobrado en la jofaina
para mojarse ambos pies.
- El agua deberá secarse con el aire, sin el empleo
de toalla o paño alguno.
- Cuando el cuerpo esté seco, apagar la vela roja y en-
cender la blanca.
- Recitar la Oración 2.

Esta operación deberá realizarse durante tres días, al cabo de los
cuales el cuerpo estará preparado para hacer un trabajo relacionado
con el amor. Los efectos de la purificación duran cinco días, de modo
que si se quiere hacer otro ritual, deberá repetirse este desde principio a fin.

# PURIFICACIÓN CON LOS CINCO METALES

## 15

### ORACIÓN 1

Que el poder de los cinco metales y de los dioses que representan, limpie mi cuerpo de impurezas, barra de mi mente todo pensamiento negativo y expulse de mi corazón toda intención o sentimiento maligno. Que sus energías llenen este lugar y lo conviertan en un santuario donde el mal no tenga cabida.

### ORACIÓN 2

La Tierra me da lo que le pido y yo le devuelvo en agradecimiento lo que es suyo. Su inmenso poder me protege y su amor llena mi corazón de esperanzas.

Este ritual de purificación está especialmente indicado para preparar no sólo el cuerpo y la mente sino, también, el lugar en el que se van a efectuar los rituales. Es el más adecuado para aquellos trabajos que tengan como objetivo obtener dinero o solucionar problemas económicos.

## ELEMENTOS NECESARIOS

Un cuenco con agua – Cinco velas amarillas y una azul – Una cucharada de sal gorda – Al menos un trozo de los siguientes metales: plata, cobre, hierro, estaño y plomo – Tantas lentejas como rincones tenga la casa en que se viva – Un tiesto con tierra.

Los metales pueden consistir en objetos fabricados con ellos (por ejemplo, un anillo de plata) siempre y cuando no tengan otros elementos incluidos (en este caso, si el anillo tuviera una piedra engarzada, no serviría). Para incluir el hierro se puede utilizar un clavo, una tuerca, un alfiler; el cobre se puede obtener del interior de un cable y el estaño y el plomo se pueden conseguir en las ferreterías.

Se considerarán rincones de la casa aquellos en los que el oficiante se considere propietario del espacio. Si viviera en un hotel o en una pensión, por ejemplo, su casa sería su habitación.

### Preparación previa

La preparación de los elementos del ritual deberá llevarse a cabo en día miércoles de manera que el ritual que se haya escogido pueda hacerse al día siguiente, jueves, dedicado a Júpiter salvo que haya alguna indicación contraria.

- Poner dos litros de agua en un recipiente, preferentemente de cristal.
- Introducir el hierro en el recipiente diciendo: «Que el poder de Marte aparte los malos espíritus».
- Poner luego el plomo, al tiempo que se recita: «Que el poder de Saturno limpie mi mente».
- Añadir el cobre diciendo: «Que el poder de Venus limpie mi corazón».
- Añadir la plata recitando: «Que el poder de la Luna limpie mi cuerpo».
- Sumar a lo anterior, el estaño al tiempo que se dice: «Que el poder de Júpiter atraiga el dinero».
- Echar en el cuenco las lentejas y poner el recipiente al aire libre y encender a su alrededor cinco velas amarillas. Dejarlo toda la noche al sereno.

- Al día siguiente, quitar del agua los objetos de metal (que se podrán guardar o enterrar, según se desee) y las lentejas. Tanto estas como el agua serán empleadas en el ritual de purificación.

## RITUAL

- Encender la vela azul.
- Recitar la Oración 1 y luego sumergir las dos manos en el agua en el que han estado los metales concentrándose en el poder que surge de la misma. Dejarlas por espacio de cinco minutos, imaginando que se limpian de toda impureza.
- Pasar con las manos agua por la cara y los cabellos. Luego, por los pies descalzos.
- Hacer un hoyo en el tiesto con tierra de, aproximadamente, unos tres o cuatro centímetros. Poner en su interior las lentejas, al tiempo que se recita la Oración 2.
- Cubrir el hoyo con tierra y echar un poco del agua que ha quedado.
- Todos los días, hasta que se acabe, regar el tiesto con esta agua (la cantidad a echar cada día será, aproximadamente, la de un cacito de café.

Se considera que tras haber enterrado las lentejas y haberlas regado una vez, el lugar y el oficiante están purificados de modo que se puede efectuar cualquier ritual que se relacione con dinero.

## EL MAL DE OJO

**16** Entre los maleficios, intencionados o no, que se pueden enviar a otra persona con el fin de provocarle daños, el más común es el mal de ojo. Nace de la envidia que el emisor siente hacia la víctima y puede causar grandes problemas. Los síntomas más comunes de la persona afectada son: dolor de cabeza, náuseas, inapetencia, falta de vitalidad y trastornos en todo lo que haga. Su curación está en manos de curanderos, pero hay muchos amuletos o remedios para prevenirlo.

En la mayoría de las culturas la magia se ha dividido en dos grandes corrientes: la que apunta a lograr el cumplimiento de deseos sanos, que no afecten a terceros, y la destinada a causar daños a supuestos enemigos. Los conocimientos de los hechiceros de uno y otro grupo siempre fueron los mismos; la diferencia está marcada, en todo caso, por la afición de los magos negros para hacer aquellos trabajos que atraigan calamidades y desgracias sobre sus semejantes. Estos seres sin escrúpulos, por lo general, han despertado siempre un gran respeto y temor en sus vecinos quienes, no obstante, no dudaban en acudir a ellos para eliminar a sus adversarios o a quienes pudieran bloquearles el camino.

Para causar daño a otro ser humano es necesario albergar un gran resentimiento en el corazón; una persona feliz consigo misma, que se sienta realizada, que tenga fe y esperanzas en conseguir aquello que se proponga, aunque deba pasar por situaciones difíciles, no se le ocurre recurrir a tales métodos. Estos, en cambio, son propios de los débiles, de los que no tienen empatía y, sobre todo, de quienes tienen sobre sí la gran desgracia de padecer de envidia.

Para provocar el mal no es necesario que se contraten los servicios de un mago ni realizar ritual alguno; sólo basta con desear intensamente el mal ajeno y una de las formas más comunes de conseguirlas consiste en «echar el mal de ojo». Esta forma de hechizo es una de las más extendidas en todo el mundo; de ella hablan culturas tan distantes como la azteca o la egipcia y la capacidad de realizarlo se adjudicó, equivocadamente, a personas que nacían en circunstancias anómalas o que tenían alguna característica particular, como por ejemplo, los mellizos o a quienes tenían ojos negros y mirada penetrante.

Tradicionalmente se entendió que algunas personas podían transmitir enfermedades con el poder de su mirada. Ante ellas, los más vulnerables eran los bebés y los niños pequeños de manera que en muchas pinturas y grabados de siglos anteriores, se pueden observar infantes que portan en su pecho o espalda diversos escapularios o amuletos diseñados especialmente para protegerles contra el mal de ojo. Con una ciencia médica insuficiente para explicar y subsanar los problemas derivados de la mala alimentación, de la falta de higiene o de las epidemias; toda diarrea, vómito, pérdida de vitalidad o enfermedad de cualquier clase era atribuida al aojamiento. Aunque los adultos tenían más armas psíquicas para defenderse de este tipo de ataques, a menudo eran víctimas de los aojadores. Entre los síntomas más citados, amén de los vómitos y diarreas, figuran el dolor de cabeza, sobre todo en la región frontal o en los ojos; las náuseas; el adormecimiento; la pesadez; la falta de motivación y, en general, la imposibilidad de hacer las cosas de modo que salgan bien. La víctima observa que, poco a poco, todo lo que hay a su alrededor se desmorona; empieza a tener problemas económicos, laborales, afectivos y de salud. La consecuen-

cia final puede ser trágica. En ocasiones, la familia entera puede recibir el maleficio. Antiguamente se creía que los animales también podían ser hechizados de esta manera y, cuando eso sucedía, perdían peso, se volvían inapetentes, perezosos o, sencillamente, enfermaban y morían.

Para enviar mal de ojo a otra persona o animal, no es necesario estar en su presencia; bastará con hacerse una imagen mental de la víctima y experimentar el deseo intenso de provocarle sufrimientos. Pero aunque algunas personas lo realicen a sabiendas, en su forma más común se trata de un maleficio involuntario, surgido de una envidia incontrolable por ello, uno de los rituales más extendidos para prevenirlo consiste en pisar los zapatos nuevos de amigos y familiares para evitar que estos sean envidiados (al respecto, cabe recordar que siglos atrás, el uso del calzado de cuero era un lujo que pocos podían darse, de modo que no es de extrañar que quien los empleara despertara sentimientos negativos en sus vecinos).

La curación del mal de ojo, por lo general es efectuada por un curandero. En algunas regiones consiste en la recitación de un salmo que sólo puede ser transmitido el día de Navidad, a las doce de la noche y en una habitación completamente a oscuras. En otras, en cambio, implica diversos ritos que sirven, además, para confirmar el aojamiento y que también incluyen salmos o invocaciones. Estas ceremonias deben ser oficiadas por una persona que haya recibido instrucciones de un curandero cualificado ya que si las realiza un profano no obran su efecto.

Pero aun cuando haya rituales dedicados a curar el mal de ojo, en este caso la mejor medicina es la prevención, de ahí que haya infinidad de amuletos, rituales y fórmulas destinadas a tal fin. Entre las más extendidas pueden citarse las siguientes:

- Colocar en la frente del bebé una cinta roja. De este modo, si la belleza del pequeño suscita envidia, los ojos de quien la padecen se verán atraídos por la cinta y no por los del niño.
- La saliva se considera un elemento protector, de ahí que en muchos pueblos se escupa sobre el bebé o sobre el vientre de la embarazada.
- Interponer entre la posible víctima y el aojador una vara de madera (método utilizado en las provincias vascongadas).
- En las zonas donde abunda el coral rojo, como por ejemplo Italia, sus cuernos han sido siempre considerados como el mejor amuleto para prevenir el mal de ojo.
- La antigua tradición egipcia emplea un amuleto, el Ojo de Horus. Es una pieza de cristal engarzado muy popular en los países musulmanes.
- Otro amuleto popular, también de origen egipcio, es la higa: la mano cerrada que encierra entre los dedos índice y medio el pulgar. Suele usarse en forma de pequeño dije, comúnmente de madera, oro, plata o azabache, colgado del cuello. También hay higas de gran tamaño fabricadas para ponerse tras la puerta de entrada de las casas.
- La ruda es una de las plantas más efectivas contra el aojamiento. Se colocan algunas hojas en un saquito y este se lleva colgado del cuello. En algunos lugares de Sudamérica, si alguien desea librarse del mal debe beberla en infusión superando el desagrado de su olor pestilente.
- El ámbar es uno de los minerales que actúan como barrera ante el mal de ojo. Su efectividad está relacionada con su grado de pureza. También los collares y pulseras de turquesas han sido utilizadas con el mismo fin.

## LOS HECHIZOS DE AMOR

**17** Los hechizos de amor, en su mayoría, fueron creados en ambientes rurales fuera de las grandes ciudades, por ello es frecuente que sus ingredientes no sean fáciles de conseguir en el entorno urbano. Lejos de representar un inconveniente, la dificultad de hacerse con ellos acentúa la concentración de la voluntad y, con ello, las posibilidades de éxito del ritual. Un aspecto que debe tenerse siempre en cuenta es que si se hace un trabajo para perjudicar a otra persona, este siempre se volverá en contra.

Una de las principales fuentes de placer y de dolor del hombre de todos los tiempos es el amor. El camino que lleva toda relación afectiva, sobre todo si es de pareja, tiene innumerables obstáculos que son una amenaza para la supervivencia del vínculo. Tentaciones de infidelidad, inapetencia sexual, indiferencia, celos, competitividad o necesidad de control son sólo las más habituales. Los mismos dioses del Olimpo, con todos sus poderes, no han escapado al sufrimiento amoroso; Hera, la esposa de Zeus, padeció en carne propia la humillación provocada por los devaneos de su marido que no tenía reparos en hacer hijos con las bellas mortales y, ciega de furia, se vengaba convirtiendo a las pobres muchachas en osas, cisnes o monstruos. Por su parte Zeus, enamoradizo y romántico, no dudaba en adoptar las formas más extravagantes con el fin de enamorar a toda mujer bella con la que se topase lo que convertía la vida de ese matrimonio divino en un auténtico infierno.

Durante siglos, hubo muy pocos remedios para poner fin a las relaciones matrimoniales infelices; en las cortes europeas, la manera más fácil de acabar con ellas consistía matar al cónyuge ya sea con las propias manos, haciéndole ingerir veneno, contratando a un asesino para que se encargara del trabajo sucio o demostrando mediante pruebas falsas que tenía la intención de perjudicar al reino. Pero para el pueblo simple y llano estas opciones no eran tan apropiadas ya que podían engendrar, y de hecho lo hacían, una interminable cadena de venganzas. La gente más apegada a las tradiciones paganas, sin embargo, tenía otra herramienta: los hechizos, fórmulas que durante milenios habían demostrado ser sumamente efectivas a la hora de atraer la atención del hombre más codiciado de la comarca, de alejar al pretendiente molesto, de asegurar la fidelidad del marido o de dejarlo impotente en caso de que buscara alegrías en otros lechos.

Una de las diferencias entre la época en la que los rituales fueron creados y la actualidad es que entonces la gente tenía en ellos una fe ciega; no dudaban del efecto que se produciría tras la ejecución del trabajo y esta firme creencia era la que, en última instancia, obraba el verdadero hecho sobrenatural transformando la mente, el corazón y el cuerpo de quien lo ejecutaba o encargaba permitiéndole de este modo conseguir lo que deseaba.

Si para desarrollar cualquier ocupación con un mínimo de eficacia se necesita prodigar tiempo y esfuerzo en aprender la técnica precisa, la magia no escapa a esta norma. Si vivimos con la mente ocupada en mil problemas diferentes, alejados por completo de nosotros mismos y tratando de cumplir a la perfección el papel que por estatus social o familiar se nos ha impuesto, es difícil que tengamos las energías suficientes para concentrar nuestra voluntad durante el período necesario para llevar a cabo un ritual. Al respecto, es importante tener en cuenta que, aunque el rito en sí lleve unos pocos minutos o, como mucho, algunas horas, no comienza cuando se efectúa el primer paso del mismo sino en el momento en que el oficiante se dispone a conseguir los elementos. Desde que toma la decisión de realizarlo hasta que lo finaliza, su mente debe estar concentrada en las diferentes etapas del ritual y, sobre todo, en la visualización de la situación que va a generar. Si se desea conquistar el corazón de la persona amada, por ejemplo, es necesario imaginar escenas en las que se está junto a ella, feliz.

Todo hechizo requiere un gran esfuerzo que comienza con la reunión de los elementos necesarios y finaliza con el último paso de su ejecución. Todos y cada uno de ellos son importantes y deben ser realizados con la mayor concentración. Es posible que los primeros intentos no den resultados positivos, de la misma forma que la confección de un plato elaborado resulta muy distinta si es llevada a cabo por un chef que por un aprendiz.

En la magia amorosa se utilizan con mucha frecuencia cabellos, recortes de uñas, prendas que hayan sido utilizadas por la persona a la que se quiere hechizar. En tales casos quien hace el hechizo, al momento de utilizar esos ingredientes debe pensar o decir «esto representa a ... (y el nombre de quien va a ser hechizado)». Si se recogen pelos de un peine para lograr por medio de un ritual el amor de un hombre, conviene cerciorarse de que pertenecen a esa persona y no a otra ya que, de lo contrario, los resultados del hechizo podrían ser nefastos. Muchos de los rituales que han llegado a nuestros días, se crearon en el entorno rural, de ahí que algunos ingredientes, como podrían ser pétalos

del girasol o la tierra que tuviera la huella de la persona amada, sean prácticamente imposibles de conseguir en las grandes ciudades. Esta dificultad tiene, no obstante, un aspecto positivo ya que la búsqueda del ingrediente preciso ayuda a concentrar el ingenio y la voluntad en el cumplimiento del deseo. Cuanto más exija el ritual de la persona que lo lleve a cabo, mayores posibilidades de éxito tendrá porque más tiempo mental habrá dedicado a su preparación y ejecución.

Una norma que no debe olvidarse jamás es que los hechizos de amor deben ser efectuados tras una larga reflexión. No se pueden hacer motivados por un capricho pasajero, por un afán de venganza o en un momento de ira o despecho sino para conseguir una relación firme y duradera. Por este motivo, los destinados a unir eternamente a dos personas no deben ser realizados por adolescentes ya que, al no tener aún una formación emocional completa, es muy probable que en poco tiempo pierdan el interés por quien creían amar profundamente y depositen su afecto sobre una nueva persona. En todo caso, si no se puede frenar la tentación de llevar estos rituales a cabo, la voluntad debe estar concentrada en el objetivo de conseguir un mayor acercamiento y no una unión definitiva.

Entre las personas que con mayor frecuencia consultan a los magos y hechiceros a fin de encargarles trabajos están aquellas que tienen una relación amorosa con alguien que ya está casado, que tiene formada una familia. En estos casos hay que obrar con sumo cuidado, alejando de la mente todo pensamiento negativo dirigido hacia su cónyuge. Por ello, entre los rituales más aconsejables están aquellos en los que se procura que el cónyuge se enamore de otra persona liberando de esta manera a la persona con la que se quiere establecer una relación formal.

## HECHIZO DE LOS NUDOS
## PARA ENAMORARSE

**18** El hechizo de los nudos es especialmente útil para todas aquellas personas que, por haber tenido una educación sumamente rígida o por haber sufrido experiencias dolorosas en relaciones de pareja anteriores, no consiguen volver a enamorarse por mucho que lo deseen. Para llevarlo a cabo es necesario hacer primero una profunda reflexión que permita averiguar cuáles son las cualidades que debería tener un hombre o una mujer para despertar el amor en su corazón.

Al llegar a la adolescencia, la mayoría de las personas se enamoran aunque no todas lo hacen con la misma intensidad y profundidad. Si la suerte les sonríe, consiguen entablar una relación romántica con la persona elegida, pero es altamente probable que la pareja así formada se rompa para dar paso a otras hasta encontrar a alguien adecuado con quien compartir el resto de la vida.

Estas experiencias, en algunos, dejan una huella tan dolorosa, un temor tan grande a volver a sufrir que tras el fracaso sentimental no vuelven a enamorarse por mucho que lo deseen. La excusa que suelen darse a sí mismos es que no han conocido aún a nadie que reúna las condiciones que exigen pero, en el fondo, es el temor a un nuevo fracaso lo que convierte en invisibles a los posibles candidatos que van conociendo.

El hechizo de los nudos se realiza para encontrar a una persona que pueda colmar esas aspiraciones; a alguien que sea capaz, por sus cualidades, de despertar nuevamente el impulso amoroso.

Este ritual lo puede hacer la persona que se quiera enamorar o bien alguien que le quiera bien y desee verla feliz y realizada. En este caso, antes se deberá averiguar cuáles son las cualidades que le podrían atraer en un hombre (o en una mujer, según el caso). El hechizo debe iniciarse en viernes, dedicado a Venus, la diosa del amor y, a ser posible, dos o tres días antes de la luna llena o al inicio de la misma. Nunca en cuarto menguante.

## ELEMENTOS NECESARIOS

Una cinta blanca y una roja de 50 cm – Un frasco o botella pequeños – Tres granos de pimienta negra – Siete pétalos de rosa (pueden ser secos o frescos) – Una copita bebida alcohólica (anís, ron o cualquier otra, incluido el vino) – Una vela roja – Una vara de incienso de almizcle.

## RITUAL

- Encender la vela y el incienso.
- Poner el licor de la copa dentro del frasco o la botella.
- Concentrándose en el deseo que se está pidiendo, echar en el frasco los siete pétalos de rosa al tiempo que se dice: «Que el corazón se abra al amor».
- Añadir los tres granos de pimienta en la botella al tiempo que se dice: «Que la pasión despierte».
- Introducir las dos cintas en el frasco, diciendo: «Que aparezca la persona que me (le) esté destinada».
- Dejar el frasco, destapado, junto a la vela y el incienso. Cuando estos se apaguen, ponerlo al aire libre (por ejemplo en el alféizar de

una ventana). Deberá permanecer sin que nadie lo toque durante tres noches.

- Cuando ese tiempo haya transcurrido, sacar la cinta del frasco y esperar a que se seque.
- A partir de ese momento, hacer un nudo cada día al tiempo que se recita una de las cualidades exigidas a la pareja por quien se quiere enamorar (por ejemplo: «inteligente»).
- Una vez que ya no queden cualidades por pedir, colocar la cinta nuevamente en la botella y enterrar esta en el campo o bien dentro de un tiesto.

## PARA CONSEGUIR UN AMOR PURO

**19** Este hechizo está especialmente indicado para toda mujer que, por las razones que sean, desee llegar virgen al matrimonio. Tiene dos objetivos: el primero, encontrar al hombre que sea capaz de respetar su decisión; en caso de que tenga una relación de pareja, hacer que su compañero no pierda la calma ni el amor a causa de la abstinencia sexual. El segundo, conferir la fuerza de voluntad necesaria para cumplir con el objetivo que se ha propuesto.

A medida que la sociedad ha evolucionado, y sobre todo a partir de la revolución sexual iniciada en la década de los sesenta por el movimiento *hippie* y del descubrimiento de los nuevos métodos anticonceptivos, las formas en las que se establece una relación amorosa entre hombre y mujer han cambiado enormemente. Hasta mediados del siglo pasado, en occidente, se consideraba que la mujer debía llegar virgen al matrimonio en tanto que al hombre se le permitía (más aún, se consideraba necesario) mantener todas las relaciones sexuales posibles. Era tan común que la muchacha que cediera a las presiones de su novio, que le diera la «prueba de amor» definitiva (es

decir, que consintiera en mantener un encuentro amoroso con él), fuera posteriormente abandonada, aun a pesar de los juramentos previos en el sentido contrario como que las jóvenes que hubieran perdido la virginidad quedaran descartadas como posibles esposas; si lo había hecho frívolamente una vez, eso podía volver a repetirse.

La importancia de la virginidad, según el antropólogo Claude Levi-Strauss se desarrolló en las comunidades primitivas; en ellas, las mujeres eran un producto más a comerciar y como el incesto estaba prohibido, la presencia del himen garantizaba que la mujer destinada a ser cambiada por alimentos o herramientas con otras tribus estaba intacta; no había tenido relaciones con hermanos o familiares. Posteriormente, cuando en las sociedades se empezó a acumular riquezas, su pureza garantizaba que los bienes serían repartidos entre los hijos legítimos, entre aquellos que llevaran la sangre del varón de la familia. La pérdida de la virginidad por parte de una muchacha fue considerada, durante siglos, como un atentado al honor de todo el grupo familiar o, en caso de que se casara ocultando el hecho, al honor del marido. Por ello, en algunos pueblos se establecía que quien dejara embarazada a una virgen debiera indemnizarla en el caso de que no quisiera contraer matrimonio con ella.

La virginidad fue especialmente valorada en las culturas como la egipcia, la romana o la china, en las que se efectuaban rituales que tenían por objeto mostrar a la comunidad que la muchacha que se había casado había permanecido intacta hasta la boda. Por lo general, la mujer era desflorada por una experta o por su propio marido utilizando un pañuelo de seda para que en él se recogiera la sangre como muestra de la ruptura del himen. Una ceremonia como esta aún es celebrada por personas de etnia gitana.

En Europa, con la llegada y extensión del cristianismo, el modelo de mujer pasó a ser la Virgen María, que había concebido a pesar de su virginidad. Esta confesión religiosa no admite las relaciones prematrimoniales sino que propugna la abstención sexual durante el período de noviazgo.

En la actualidad cualquier mujer adulta puede decidir libremente sobre su cuerpo y son pocos los hombres que rechacen a una muchacha que haya mantenido previamente relaciones sexuales; no obstante, hay mujeres que, ya sea por motivos religiosos o étnicos, por el tipo de educación que han recibido o por las razones que sean, eligen mantenerse vírgenes hasta el matrimonio. Dada la libertad sexual imperante, no es fácil encontrar hombres que acepten un convenio de este tipo; la mayoría estima que las relaciones prematrimoniales constituyen una garantía para la supervivencia posterior del vínculo ya que favorecen el conocimiento mutuo y, aunque motivados por la atracción que puedan sentir por una muchacha acepten en principio su deseo de mantenerse virgen, durante el noviazgo se producen continuos roces y conflictos cuando ella no accede a tener relaciones sexuales.

Este ritual tiene dos fines: el primero, encontrar a una persona que respete la decisión de no tener relaciones prematrimoniales y, el segundo, estimular la fuerza de voluntad necesaria para vencer las tentaciones que puedan surgir durante el noviazgo.

La ceremonia deberá realizarse en sábado, dedicado a Saturno que simboliza el autocontrol y la disciplina. Tras la boda, deberá hacerse un pequeño ritual de agradecimiento, en caso de que el deseo se haya cumplido.

## ELEMENTOS NECESARIOS

Una rosa blanca – Una cinta blanca de 20 cm – Un candado pequeño – Dos arandelas plateada por cuyos agujeros pueda pasar la pieza que traba el candado – Una vela blanca – Un paño blanco, de 25 x 25 cm – Aguja e hilo blanco – Un alfiler de cabeza blanca o perlada.

RITUAL

- Encender la vela utilizando cerillas.
- Hacer con la tela una pequeña bolsita (si en ella no cupiera el candado, tomar un trozo de tela mayor).
- Poner el candado, cerrado, dentro de la bolsa. Guardar en ella también la llave.
- Cortar el tallo a la rosa de modo que quede sólo la flor y añadirla al saquito. Añadir también las dos arandelas.
- Tomar el alfiler con la mano izquierda, pincharse con él el dedo corazón de la mano derecha al tiempo que se dice: «Que la entrada de mi futuro marido en mi carne sea tan suave como este pinchazo». Guardarlo también en la bolsa.
- Cerrar la bolsa con la cinta blanca y guardarla debajo del colchón.
- El día de la boda, abrir la bolsa, coger el alfiler, prenderlo en algún lugar del vestido y volver a cerrar la bolsa.
- A la mañana siguiente, si el matrimonio se ha consumado, coger el candado, abrirlo y pasar por él las dos arandelas al tiempo que se dice: «Doy las gracias porque mi deseo se ha cumplido. Pido ahora que esta unión conserve su felicidad durante toda la vida».
- Volver a guardar el candado en la bolsa, atarla y ponerla nuevamente debajo del colchón.

# PARA ENCONTRAR A LA PERSONA AFÍN

**20** El ritual de los dos imanes tiene por objeto encontrar a una persona afín y dispuesta a establecer una relación de pareja. Está indicado para todos los que han tenido fracasos amorosos, en especial para aquellos que, habiéndose enamorado muchas veces han sufrido decepciones o han sido abandonadas por la persona que habían elegido. Este hechizo debe realizarse personalmente, de modo que no puede llevarse a cabo para favorecer a otra persona.

Aunque este ritual tiene algunas características similares al anterior, hay entre ambos una gran diferencia: el primero es apropiado para toda persona que, por miedo al sufrimiento, no consiga enamorarse por mucho que lo desee; el presente, en cambio, resulta de gran utilidad para quienes inician constantemente nuevas relaciones que acaban al poco tiempo. En ocasiones son ellos mismos quienes llegan a la conclusión de que tales uniones serían, a la larga, desastrosas, pero en otras, aunque hagan todo lo posible por mantener el vínculo, este no prospera y terminan siendo abandonadas.

A la hora de establecer una relación de pareja conviene estar con la mente y el corazón limpios. El permanente recuerdo de las experiencias anteriores, hayan sido buenas o malas, sólo sirve para volver a repetir los mismos errores que las hicieron fracasar. También es importante fijar ciertos límites, saber qué es lo que se está dispuesto a tolerar en un compañero sentimental y qué cosas resultan inadmisibles. Cabe decir al respecto que, cuanto mayor sea el conocimiento que se tenga de uno mismo, de las propias limitaciones, mayores probabilidades habrá de entrar en contacto con la persona adecuada.

## ELEMENTOS NECESARIOS

Dos imanes (se puede emplear el trozo metálico de los que se usan para sujetar papeles) – Esmalte rojo y esmalte azul (pueden emplearse esmaltes de uñas o bien el tipo de pinturas que se venden en los negocios especializados en maquetas) – Un rotulador negro – Un folio – Un bolígrafo – Un trozo de hilo rojo y otro de hilo azul – Una vela roja.

## RITUAL

- Encender la vela roja.
- Cortar dos tiras delgadas de papel. En una de ellas, escribir con el rotulador el propio nombre y en la otra, un signo de interrogación.
- Pintar los dos imanes con los colores correspondientes (los heterosexuales deberán usar los dos colores, azul y rojo; los varones homosexuales, el rojo y las mujeres, el azul).
- Envolver con el papel que lleva escrito el propio nombre, el imán correspondiente (si es mujer, el azul; si es hombre, el rojo). Atarlo con el hilo del mismo color, haciéndole siete nudos.
- Hacer lo mismo con el papel que contiene la interrogación, en el otro imán.
- Unir los dos imanes ya envueltos y dejarlos toda la noche al sereno.
- Al día siguiente, coger el que lleva el papel con la interrogación, salir a la calle y pegarlo a un coche, autobús o cualquier otro medio de transporte al tiempo que se dice: «Recorre la ciudad, busca a la persona que me está destinada y tráemela a mi lado».

# PARA ATRAER A LA PERSONA AMADA

**21** La vida en pareja tiene muchos altibajos. Hay períodos en los cuales uno de los miembros, o ambos, toman distancia respecto del otro sin que ello signifique que el amor se haya acabado o que estén encarando una crisis. Por lo general, si el alejamiento se produce sólo por parte de uno de ellos, su compañero suele preocuparse e intentar por diversas maneras confirmar que la relación no ha perdido fuerza; esto hace que la otra persona se sienta incómoda o acosada y puede generar, a la larga, problemas. Este hechizo tiene por objeto atraer a la persona amada y calmar la ansiedad que produzca su momentáneo alejamiento.

Durante la vida de pareja se producen frecuentes altibajos y se pasa por períodos más o menos críticos en el cual uno o ambos miembros toma distancia con su compañero. Esto no siempre es señal de desinterés; la mayoría de las veces responde a otras causas como son, por ejemplo, los problemas de trabajo, el entusiasmo volcado hacia una nueva empresa, conflictos internos de diversa índole, etc.

Si el vínculo es sólido y hay un profundo conocimiento mutuo, el alejamiento será fácilmente comprendido y no tendrá mayores consecuencias, pero en caso de que la relación tenga fisuras, podría desembocar en una crisis mayor que haga peligrar su estabilidad y duración.

El mejor remedio para solventar este tipo de problemas es la comunicación y la confianza; la comprensión de que es necesario dejarse mutuamente un amplio espacio y una gran libertad. Cada uno debe contar con su propia intimidad, con tiempo para sí mismo, para desarrollar actividades personales que no desee compartir con su compañero porque las parejas que no lo tienen, que se funden de tal modo que el mundo fuera de ellas no existe, suelen tener un pronóstico poco prometedor.

Cuando estos distanciamientos se producen en un momento en que la otra persona necesita (por las razones que sean) una gran presencia por parte de su amante, el sentimiento que surge es el de abandono. En este caso, es importante no hacer recriminaciones ni dar mil vueltas en la cabeza a la idea de una posible ruptura sino, más bien, esperar a que la relación vuelva a estabilizarse. Si se mantiene esta actitud, se verá que en poco tiempo las cosas vuelven a su cauce.

Este hechizo tiene dos objetivos: por una parte, aportar serenidad a la persona que lo realiza, desterrando de su mente los pensamientos negativos que le lleven a temer una posible separación. Por otro, hacer que su compañero muestre claramente el amor y la atracción que siente por ella. Deberá hacerse durante la Luna llena.

## ELEMENTOS NECESARIOS

La foto (o una fotocopia) de la persona amada – Tijeras – Un hilo rojo – Un cordón rojo o una cinta de ese color – Una tuerca de metal – Una vela rosada – Una caja – Un cabello de la persona que hace el ritual.

## RITUAL

- Recortar con las tijeras la cara de la persona amada de la foto y guardarla en la caja.
- Pasar el cordón o la cinta por la tuerca, y ponerlo junto a la foto. Añadir el cabello.
- Colocar la caja al aire libre, por ejemplo en el alféizar de la ventana, por la noche. Encender a su lado la vela.
- Al día siguiente, atar la foto con una hebra de hilo rojo y colgarla de un lugar alto (puede ser una chincheta en la pared, la rama de un árbol, la barandilla de una escalera, etc.).
- Atarse el cordón a la muñeca izquierda con cinco nudos. En cada uno de ellos, decir: «El mismo aire que hay ahora entre nosotros, será quien lo traiga hacia mí» y, a continuación, soplar sobre el nudo.
- Cada vez que se sientan temores, tocar la cinta y repetir esas palabras soplando sobre ella. Cuando se rompa, enterrarla o dejarla en un cruce de caminos.

## PARA TRANSFORMAR LA AMISTAD EN AMOR

**22** El presente hechizo tiene por objeto transformar una relación de amistad en vínculo amoroso. Para llevarlo a cabo es necesario que quien lo haga esté seguro de sus sentimientos, que haya descubierto que siente una intensa atracción por la persona a la cual va destinado y que está dispuesto a establecer con ella una relación de pareja sólida y duradera ya que, de otro modo, podría dar resultados diferentes a los que se buscan o provocar la ruptura de la amistad.

El mundo de los afectos es amplio y complicado. Si tuviéramos que comunicar con la máxima exactitud lo que sentimos por alguien de forma que otra persona pueda entenderlo con todos sus matices, nos resultaría imposible ya que cada individuo vive sus relaciones de una forma única y personal. En el amor, independientemente de la índole que sea, habitualmente se mezclan muchas emociones y sensaciones: necesidad de protección, identificación con la persona amada, impulso de cuidarla, necesidad de entregarse a ella, de hacer sacrificios en su favor, búsqueda de la afirmación personal a través del control emocional sobre quien decimos amar, etc.

Este conjunto de emociones nos hacen sentir que, cuando estamos junto a la persona elegida y en armonía, somos felices y que su rechazo o falta de correspondencia nos sume en el abatimiento. Los afectos constituyen un tema tan delicado y difícil que, en ocasiones, nos cuesta saber qué sentimos por alguien. ¿En qué punto o bajo qué características la amistad se convierte en amor?

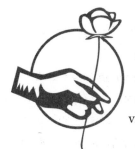

Hasta hace poco tiempo se decía que el amor es una amistad estrecha e intensa en la cual hay, también, una poderosa atracción física; sin embargo, hoy es posible tener amigos «con derecho a roce» sin que esos vínculos se conviertan en amorosos.

Uno de los rasgos que caracterizan la amistad es la amplia generosidad que conlleva. Salvo entre púberes y adolescentes, en los que son habituales los celos, es difícil que estos se presenten entre amigos adultos y emocionalmente maduros; uno desea lo mejor para sus amigos y les otorga una amplia libertad de relaciones porque en el fondo sabe que, más tarde o más temprano, aparecerá otra persona que ocupará el lugar de privilegio en su corazón.

Aun así, hay amistades que, con el tiempo, se van haciendo más profundas e intensas en la medida en que uno o ambos descubren la enorme importancia que tiene en su vida la otra persona; en estos casos, puede decirse que la amistad se ha transformado en amor. Como este amor no siempre es correspondido, el presente hechizo tiene como objetivo establecer un vínculo amoroso con un amigo o amiga. Deberá realizarse en viernes, día de Venus.

## ELEMENTOS NECESARIOS

Una fotocopia de la fotografía de la persona amada y otra, de la propia – Una cucharada de miel – Pimienta blanca – Una vela blanca y otra vela roja – Cuatro cintas blancas de unos 20 cm de largo, y cuatro rojas – Un sobre o bolsa de plástico – La semilla de una planta que tenga flores rojas (rosa, clavel, gladiolo, geranio, etc.) – Un tiesto.

### RITUAL

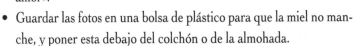

- Encender la vela blanca.
- Embadurnar con miel ambas fotos y pegarlas con las caras enfrentadas.
- Con la vela blanca, encender la vela roja diciendo: «Que la amistad que hay entre (nombre de la persona) y yo, se transforme en amor».
- Guardar las fotos en una bolsa de plástico para que la miel no manche, y poner esta debajo del colchón o de la almohada.
- Atar una cinta blanca en cada una de las patas de la cama.
- Al viernes siguiente, echar pimienta sobre las fotos y atar en las patas de la cama las cintas rojas dejando también las blancas.
- Al tercer viernes, volver a echar pimienta y quitar las cintas blancas.
- Plantar la semilla en el tiesto y regarla a diario, teniendo cuidado para que las raíces no se pudran y pidiendo que la amistad se transforme en amor.

# PARA REINICIAR UNA ANTIGUA RELACIÓN

**23** Hay relaciones que no llegan a buen puerto debido a la inmadurez de uno o de ambos miembros de la pareja, o por circunstancias ajenas a ellos mismos. Con el tiempo, a veces estas personas vuelven a encontrarse y se dan cuenta de que, aun a pesar de las diferentes experiencias vividas, lo que sienten el uno por el otro no ha perdido intensidad. Este hechizo tiene como fin retomar una relación interrumpida durante mucho tiempo; facilitar el camino para que dos personas se vuelvan a encontrar.

A veces el destino hace que nos crucemos con una persona que pareciera estarnos destinada. Iniciamos con ella una relación de pareja y, al cabo del tiempo, por diferentes motivos (personales, familiares o de cualquier otro tipo), el vínculo se rompe a pesar de que los sentimientos son profundos y sinceros.

Al cabo de los años, y después de haber reconstruido nuestra vida, nos volvemos a encontrar con ella y, nuevamente surge la chispa, la atracción mutua. Los recuerdos que habían estado guardados resucitan y, con ellos, las ilusiones y el amor. Todo parece indicar que la vida nos da una segunda oportunidad; como si hubiera sido necesario pasar por otras experiencias, madurar interiormente, para que la unión con la persona que nos ha sido predestinada se hiciera posible.

Este ritual se realiza para que del encuentro con una persona de nuestro pasado surja una relación de pareja. Puede tratarse del inolvidable primer amor o de alguien que ha dejado en nuestro corazón una huella profunda que nunca hemos podido borrar. Debe efectuarse en lunes, por la noche.

## ELEMENTOS NECESARIOS

Un ovillo de lana roja – Una vela roja – Una varilla de incienso de almizcle – Unas gotas del perfume que se usa habitualmente (en caso de no emplear ninguno, utilizar un poco de jabón).

## RITUAL

- Encender la vela y la vara de incienso con cerillas.
- Echar unas gotas de perfume en el ovillo de lana o, en caso de usar jabón, pasar este, seco, por la parte externa del ovillo.
- Pasar el ovillo sobre el humo que desprende el incienso, trazando siete cruces.
- Concentrarse en la persona amada; recordar los buenos momentos que se han pasado con ella, su figura, su voz, el tacto de su piel e ir haciendo nudos en la lana del ovillo a unos diez centímetros de distancia uno de otro. A medida que se hagan, ir enrollándolos en un nuevo ovillo hasta terminar el anterior. La lana en ningún momento deberá ser cortada.
- Terminada esta operación, esa misma noche atar el extremo libre del ovillo que se ha formado en un árbol. Puede ser en un parque, en la calle, en medio del campo o donde se quiera.
- Dejar el ovillo en el suelo y decir: «Estamos predestinados. Que las fuerzas del Bien guíen tus pasos hacia mí».
- Retirarse del lugar sin volver la cabeza hacia atrás y no volver a pasar frente a ese árbol durante toda una semana.

## Para aumentar el atractivo

**24** La capacidad de atraer a los hombres tiene más que ver con la belleza interior que con la exterior. Es un don que, aunque pocos nacen con él, se puede desarrollar potenciando las mejores cualidades y la autoestima personal. Este hechizo tiene como fin resaltar los propios atractivos. No está destinado a conseguir una pareja sino a resultar particularmente agradable en el medio social en el que se desenvuelva la persona que lo lleve a cabo.

Muchas veces se emplean belleza y atractivo como sinónimos, pero no son la misma cosa. La principal diferencia entre ambos es que la primera está ligada a la moda y a la cultura, en tanto que el segundo es universal. Siglos atrás, por ejemplo, las curvas y redondeces exhuberantes eran consideradas sinónimo de belleza en tanto que hoy ocurre todo lo contrario; se buscan los ángulos y las curvas más atenuadas.

Para atraer a los hombres no es necesario ser particularmente bella; no es imprescindible que las facciones sean regulares o exquisitamente armónicas ni tener un cuerpo de escándalo. El cine nos ha demostrado que, tanto hombres como mujeres que pueden ser considerados poco agraciados desde el punto de vista estético, en ocasiones tienen un atractivo mucho mayor que otros decididamente bellos. Estos «feos», poseen un encanto difícil de explicar que les hace poco menos que irresistibles.

Este hechizo no es para potenciar la belleza sino el atractivo de una mujer. Una vez que se lleve a cabo, es recomendable estudiarse a sí misma para saber cuáles son las zonas del cuerpo más favorecidas a fin de

potenciarlas y ayudar con ello a que su atractivo sea aún mayor. Si se llega a la conclusión de que deben hacerse cambios, es conveniente dejarse llevar por la intuición y efectuarlos (corte de pelo, ropa diferente, etc.). El ritual debe hacerse en jueves.

### ELEMENTOS NECESARIOS

Tres alfileres de cabeza roja – Un folio – Una vela roja – Tres cintas rojas de, aproximadamente, 40 cm – Una cucharada de azúcar – Un paño húmedo.

### RITUAL

- Escribir en la mitad superior de la vela, con uno de los alfileres, las cualidades o zonas del cuerpo que se quieren resaltar.
- Pasar el paño húmedo por la vela.
- Extender el azúcar sobre un papel y pasar sobre él la vela humedecida, haciéndola rodar.
- Clavar cada uno de los trozos de cinta, separadamente y formando un triángulo, en la parte media de la vela. Utilizar los alfileres.
- Encender la vela y dejar que se consuma hasta el lugar donde estén clavadas las cintas.
- Juntar las tres cintas y hacer un nudo mientras se dice: «Que los seres superiores me hagan brillar ante los ojos de los hombres».
- Colgar la vela de un clavo, en la cabecera de la cama o ponerla debajo de esta.

## PARA CONSOLIDAR UN COMPROMISO

**25** Hay hombres que eligen la soltería como forma de vida y en cambio hay otros a los que les gustaría haber encontrado alguna persona con la que compartir su vida, pero inconscientemente han puesto tantas trabas en sus relaciones que su deseo no se ha cumplido. Este hechizo tiene como propósito enamorar a un hombre soltero que haya renunciado a la vida marital. Deberá hacerse sólo en caso de sentir una gran atracción por él.

Los hombres que han llegado a una cierta edad sin haber formalizado relaciones de pareja, habiéndose abstenido de experimentar las mieles y los sinsabores de la convivencia, son considerados solteros empedernidos. Por lo general, se sienten a gusto consigo mismos y no están dispuestos a perder su libertad; a verse obligados a cambiar formas de vida que les ha costado mucho estructurar; a ceder en pequeñas y grandes cosas para que un vínculo amoroso se mantenga; por ello optan por vivir solos y manteniendo relaciones continuas o esporádicas, algunas de las cuales duran años. Como se trata de hombres que han alcanzado cierta edad, suelen tener un trabajo estable, a veces casa propia y una vida relajada, por eso suelen ser personas que despiertan un particular interés.

Muchas personas ven a este tipo de solteros como un verdadero desafío: seguras de que la manera de conseguir la mayor felicidad es mediante la vida en pareja, se esmeran en hacerles comprender que están profundamente equivocados, que deberían buscar una buena compañera para formar con ella una familia.

Este hechizo tiene por objeto conquistar a un hombre soltero que no esté dispuesto a cambiar su forma de vida. Deberá hacerse en viernes.

## ELEMENTOS NECESARIOS

Dos cajas pequeñas, con tapa – Papel y lápiz – Cuatro dientes de ajo – Dos plumas, preferiblemente blancas – Hilo blanco – Una vela rosa y una negra – Un trozo de cáscara de pomelo – Una cucharada de azúcar.

## RITUAL

- Marcar con un objeto punzante o con la uña, la mitad de cada una de las velas.
- Coger los cuatro ajos y, sin pelar, pegarlos en cada una de las esquinas interiores de una de las cajas.
- Cortar dos tiras finas de papel y escribir en una de ellas el nombre de la persona que se desea seducir y, en la otra, el propio. Guardar el nombre de la persona amada en la caja que contiene los ajos y el propio, en la otra.
- Encender la vela negra con cerillas.
- Pasar el trozo de cáscara de pomelo por su llama al tiempo que se dice: «Como amargo es este pomelo, amarga es su soledad».
- Guardar la cáscara en la caja que contiene los ajos.

- Hacer una cruz con las plumas y sujetarla con el hilo blanco para que no se desarme. Guardarla en la caja que contiene los ajos al tiempo que se dice: «(Nombre de la persona) Te doy alas para que salgas de tu encierro y vueles hacia mí».
- Echar azúcar sobre la caja que tiene el papel con el propio nombre.
- Dejar ambas cajas junto a la vela negra durante toda la noche y al aire libre. Al día siguiente, trasladar el papel de la caja de los ajos a la otra añadiendo luego más azúcar. Encender la vela blanca y dejarla junto a la caja hasta que se consuma.
- Enterrar ambas cajas.

## PARA CONQUISTAR A UN HOMBRE

**26** La finalidad de este hechizo es conseguir captar la especial atención de un hombre. Debe tenerse mucho cuidado al hacerlo ya que según las intenciones que se tengan durante el ritual, así serán los resultados. Esta ceremonia no garantiza una pareja duradera y sólida; sólo apunta a lograr el inicio de una relación amorosa. Para conseguir la estabilidad y la permanencia del vínculo, deberá llevarse a cabo un ritual diseñado a tal efecto.

Aunque en la actualidad han cambiado mucho las normas y costumbres socialmente aceptadas acerca de la manera de iniciar un acercamiento sexual o amoroso, en el fondo seguimos actuando según las reglas que dicta el instinto. El cortejo, tal y como se observa en los animales, es también un elemento indispensable en el hombre ya que apunta no sólo a despertar la atención e interés del posible compañero sexual con fines reproductivos sino, también, a preparar el organismo para que pueda experimentar el mayor placer posible durante la unión.

Sólo se desea aquello que no se tiene y si se tarda un tiempo en conseguirlo, el disfrute es mucho mayor que si se obtuvieran pronto; por tal razón el cortejo, la seducción, sirven también para que la pasión aumente y, con ella, el placer. En casi todas las especies del reino animal, la hembra es la que invita, la que envía señales de disponibilidad. Al ser percibidas por los elementos masculinos de la especie, estos despliegan ante ella sus habilidades o sus encantos iniciándose con ello el rito que finalizará en el apareamiento. Aunque el hombre ha superado su instinto en muchos aspectos y gracias a la razón, esta norma primitiva se sigue cumpliendo en la sociedad actual. Normalmente la mujer suele acicalarse más y generalmente es la que invita al hombre a que dé el primer paso.

Este ritual tiene por objeto seducir a un hombre con fines a formar una relación de pareja. Debe comenzarse en lunes y para que surta efecto, sólo puede ser realizado por la persona interesada.

### ELEMENTOS NECESARIOS

Una manzana roja, en muy buen estado – Una tira de papel – Lápiz – Una vela roja – Una cucharada de miel – Una cucharadita de canela – Un paño blanco, de 20 cm de lado aproximadamente – Una cinta roja de 40 cm de largo – Un cuchillo bien afilado.

### RITUAL

Debe llevarse a cabo en viernes, día dedicado a Venus. Los pasos para su ejecución, son los siguientes:

- Lavar bien la manzana y frotarla con un paño hasta que quede brillante, pensando en la persona amada.
- Clavar la punta del cuchillo en su parte superior y cortar un trozo circular que contenga el rabito, cuidando de que no se rompa.
- Embadurnarse las palmas de las manos con miel y pasar ambas por la vela, de arriba hacia abajo, siete veces (conviene tener cerca un trapo húmedo a fin de quitar de las manos los restos de miel).

- Encender la vela con una cerilla.
- Escribir en la tira de papel el nombre de la persona amada. Hecho esto, enrollarlo en el papel e introducirlo dentro de la manzana por su parte superior, lo más al fondo posible.
- Añadir a la manzana la cucharadita de canela al tiempo que se dice, pensando en la persona deseada: «Por la fuerza de Venus descubrirás mis encantos».
- Envolver la manzana en el paño blanco, atar el paquete con la cinta roja y depositarlo a los pies de un árbol diciendo: «Hago esta ofrenda a la tierra para que de ella surja la pasión entre (nombre de la persona amada) y yo».

# PARA CONQUISTAR A UNA MUJER

**27** La finalidad de este hechizo es hacer resaltar las propias virtudes y el atractivo ante los ojos de la mujer amada. Una vez que surta efecto, ella se mostrará dispuesta a establecer una relación amorosa con la persona que lo realice. Lo más probable es que no dé ningún paso al respecto sino que se limite a esperar una declaración de amor. Para saber cuál es el momento más indicado para hacerla, deberá prestarse atención a los pequeños detalles y gestos con los que muestre su interés.

El ritual que se explicará a continuación tiene como fin hacer que una mujer se sienta atraída por la persona que lo realiza. Esto no significa que, una vez que se produzcan los efectos buscados sea la mujer la que dé el primer paso sino, más bien, que se encontrará receptiva hacia cualquier propuesta amorosa por parte del oficiante.

Este tipo de hechizos no se deben hacer a la ligera; es importante tener en cuenta que, al llevarlos a cabo, se está manipulando la voluntad y los deseos de la otra persona de manera que es conveniente llevarlos a cabo sólo si existe hacia ella un amor sincero y verdadero.

## ELEMENTOS NECESARIOS

Cinco monedas doradas – Cinco espigas de trigo – Una hebra de lana roja – Una rosa roja – Dos eslabones de una cadena, separados – Unos alicates pequeños para cerrar los eslabones – Una vela roja – Una cucharadita de azúcar – Un paño rojo, de 20 cm de lado – Aguja e hilo rojo.

## RITUAL

Deberá realizarse en viernes, dedicado a Venus, la diosa del amor. Después de preparar convenientemente el lugar, efectuar las siguientes operaciones:

- Encender la vela roja.
- Hacer una bolsita con el paño rojo. Una vez terminada, echar una pizca de azúcar sobre la llama de la vela.
- Guardar en la bolsita las cinco monedas doradas.
- Atar las espigas en un manojo utilizando la hebra de lana y guardarlas en la bolsa.
- Añadir otra pizca de azúcar a la vela.
- Deshojar, pétalo a pétalo, la rosa. Al arrancar cada uno decir: «Para que se olvide de todo lo demás y se acerque a mí». A medida que se quitan los pétalos, guardarlos también en la bolsa.
- Añadir azúcar a la vela.
- Enganchar entre sí los dos eslabones de la cadena al tiempo que se dice: «Así como estos eslabones quedan unidos, que el corazón de (nombre de la mujer) quede unido al mío». Ajustarlos con la pinza para que no vuelvan a separarse. Guardarlos dentro del saquito.

- Esperar a que la vela se funda completamente. Cuando lo haya hecho, dividir la cera en dos partes y amasar cada una de ellas hasta formar una bolita. Una vez que las bolitas estén hechas, apretarlas entre sí hasta unirlas, diciendo: «Por el poder de Venus, el corazón de (nombre de la mujer) se fundirá con el mío».
- Guardar la cera en la bolsa y cerrar esta con una costura.
- A partir de entonces, todos los viernes dejar el saquito al aire libre por la noche. El resto del tiempo deberá guardarse debajo del colchón.

# PARA QUE DÉ EL PRIMER PASO

**28** Se recomienda realizar este hechizo a toda persona que no tenga seguridad acerca de los sentimientos de la persona amada; a quienes esperen que esta dé el primer paso o haga señales muy concretas que pongan en evidencia su interés en formalizar una relación. Está especialmente indicado para las personas tímidas ya que les hará ver con claridad si su amor puede, o no, ser correspondido. También para quienes se hayan enamorado de alguien a quien le cueste especialmente hacer una declaración amorosa.

El período que va desde el enamoramiento hasta la constitución de la relación de pareja comporta una gran ansiedad. Cada uno de los implicados pasa una gran cantidad de tiempo abocado a detectar en la otra persona miradas, gestos y actitudes que le confirmen que hay un interés por su parte. Como estas señales suelen ser sumamente sutiles y se mezclan con la tensión interna de quien las capta, a menudo no resulta fácil convencerse de que, realmente, existe atracción. Cada uno se pregunta infinidad de veces qué significa para el otro, qué sentimientos despierta en la persona de la que se ha enamorado, y tan pronto se llena de dicha ante una sonrisa como cae en el abatimiento al comprobar que ambos han dejado pasar la oportunidad de un encuentro para confesarse su amor.

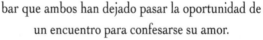

Abrir el corazón y mostrar por primera vez sentimientos amorosos a la persona amada es una empresa arriesgada ya que el rechazo inesperado puede provocar heridas dolorosas y dejar al que lo hace en una posición muy vulnerable en la que, a veces, puede experimentarse hasta vergüenza. Quienes tienen más dificultades en este terreno son las personas tímidas, inseguras de sí mismas, con una baja autoestima ya que, en el fondo, no se sienten capaces de despertar atracción en los demás; por ello sus señales de disponibilidad o interés pueden ser particularmente débiles y confusas.

Este hechizo puede resultarles muy útil ya que su objetivo es que la persona amada exprese sus sentimientos con claridad. También puede realizarlo alguien que estuviera enamorado de una persona particularmente tímida, a fin de infundirle el valor necesario para confesar su amor. Deberá realizarse en viernes, por la noche.

## ELEMENTOS NECESARIOS

Tres cerillas de madera – Una vela blanca, una rosa y otra roja – Tres cordones o cintas de unos 75 cm aproximadamente: uno blanco, otro rosa y otro rojo – La foto de la persona amada o, en su defecto, lápiz y papel – Un imán – Un sobre.

## RITUAL

- Hacer una trenza con las tres cintas.
- Atar con uno de sus extremos la vela blanca; con su parte media la rosa y, finalmente, con el extremo libre la vela roja.
- Disponer las tres velas en forma de triángulo y colocar en su centro la foto de la persona amada o, en su defecto, una tira de papel con su nombre.
- Poner encima un imán (puede ser la pequeña pieza metálica de los que se emplean para sujetar papeles).

- Encender con una cerilla la vela blanca al tiempo que se dice: «Si su amor es puro y sincero».
- Encender con otra cerilla la vela rosa, diciendo: «Si está dispuesto a darme su ternura».
- Con la última cerilla, encender la vela roja recitando: «Si me ama con pasión».
- Soplar sobre la foto y decir: «Que me haga saber lo que siente por mí».
- Esperar a que las velas se consuman y guardar la foto, el imán, la cera y las cintas en un sobre blanco. Ponerlo en un lugar donde nadie lo vaya a tocar.

## PARA QUE TE CONFIESE SU AMOR

**29** Hay relaciones que surgen casualmente y que se mantienen armónicamente durante mucho sin que, en ningún momento se hable acerca de los sentimientos de uno por el otro. Es posible que, tras los primeros encuentros haya surgido el amor y que uno o ambos tengan miedo de confesarlo estropeando así el vínculo que sostienen. Este hechizo se realiza con el fin de recibir una declaración de amor; de poner en claro la naturaleza de una relación de este tipo.

Las relaciones amorosas se establecen siguiendo diferentes patrones. Antiguamente, y aún hoy en algunas culturas, los matrimonios no eran «por amor» sino por decisión de los padres de los contrayentes que veían en la unión de sus hijos una manera de aumentar el patrimonio de ambas familias, o por razones políticas. Estos contratos a menudo eran celebrados durante la infancia de los hijos. Estas fórmulas dieron paso a los «matrimonios por amor», en los cuales la elección de la pareja adecuada ya no estaba a cargo de los padres sino de los propios interesados. Generalmente el varón declaraba su amor a la mujer y, si era aceptado, ambos mantenían una relación de noviazgo, que podía durar meses o años y en la cual se suponía que no tenían relaciones sexuales, y posteriormente se celebraba la boda tras la cual los cónyuges comenzaban su vida en común y formaban una familia.

En la actualidad las cosas han variado sustancialmente desde el momento en que, para tener relaciones sexuales, no es necesario estar casado. Son bastante frecuentes los encuentros íntimos de una sola noche o las relaciones sexuales esporádicas con más de una persona. El estar enamorado no tiene porqué ser la causa del inicio de una relación. Muchas veces estas empiezan por medio de un vínculo fraternal que evoluciona a algo más. Esta situación suele ser bastante difícil porque ninguno sabe exactamente cuáles son los sentimientos del otro.

Este hechizo se realiza con el fin de recibir una confesión de amor y sirve para poner en claro la naturaleza de una relación confusa. Deberá hacerse en miércoles.

### Elementos necesarios

Una botella o frasco pequeños, con su correspondiente tapón – Papel y lápiz – Un cabello propio y otro de la persona amada – Una cucharada de alpiste – Una varilla o cono de incienso de patchuli – 10 cm de cinta roja.

### Ritual

- Escribir en el papel el nombre de los miembros de la pareja.
- Poner en el papel ambos cabellos y luego enrollar el folio cuidando que estos permanezcan en su interior.
- Atar el folio enrollado con una cinta roja, haciéndole siete nudos. Con cada uno de ellos, decir: «Necesito saber qué sientes por mí».
- Introducir el papel dentro de la botella y, a continuación, la cucharada de alpiste al tiempo que se dice: «(Nombre de la persona amada) Ven a mí».
- Encender junto a la botella la varilla de incienso. Cuando esta se haya consumido, añadir a su contenido las cenizas.
- Tapar la botella y guardarla en un lugar donde nadie la toque.

## PARA SABER SI SUS INTENCIONES SON SERIAS

**30** En los comienzos de una relación de pareja, se suele dar por supuesto que la persona con la que se establece tiene ideas y aspiraciones similares a las propias; que desea un vínculo estable, que se fortalezca poco a poco y que desemboque en la formación de una familia. Lamentablemente, hay quienes tienen intenciones diferentes y que las ocultan para que el acercamiento no se malogre. Este hechizo tiene por objeto saber si la persona con la que se inicia una relación aspira a formar una familia, a tener una pareja estable y sólida.

Cada persona entiende las relaciones amorosas según su personalidad y las experiencias anteriores que haya vivido. Las hay que se entregan en cuerpo y alma, que ansían pasar el resto de sus días con el amado y otras que, por el contrario, no permiten que los sentimientos amorosos interfieran, a menudo a la espera de que aparezca el hombre o la mujer ideal. Lejos de quedarse solos hasta que tal hecho se produzca, suelen establecer vínculos amorosos provisionales evitando enamorarse o comprometerse.

De esta manera no se ven obligados a vivir en soledad y, además, tienen una vida sexual activa. Se puede establecer otra categoría con aquellos cuyo único afán es seducir mediante el engaño, tener relaciones con diversas personas que se enamoran de ellos sin darse cuenta que no son correspondidas. A menudo se trata de individuos casados, no dispuestos a separarse, que buscan emociones nuevas sin darse cuenta o sin dar importancia al daño que con ello pueden hacer. Para conseguir favores sexuales son capaces de prometer cosas que saben que no van a cumplir ya que su única intención

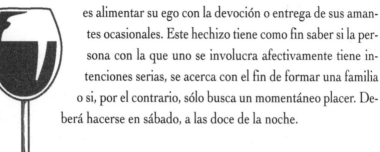

es alimentar su ego con la devoción o entrega de sus amantes ocasionales. Este hechizo tiene como fin saber si la persona con la que uno se involucra afectivamente tiene intenciones serias, se acerca con el fin de formar una familia o si, por el contrario, sólo busca un momentáneo placer. Deberá hacerse en sábado, a las doce de la noche.

## ELEMENTOS NECESARIOS

Una copa de vino tinto – Un huevo – Un lápiz negro – Una vela rosada – Una pizca de canela – Un clavo de olor.

## RITUAL

- En sábado, a las doce de la noche y preferentemente con Luna llena, encender la vela rosada.
- Escribir con un lápiz negro el nombre de la persona amada en el huevo.
- Mezclar en la copa de vino la canela y el clavo.
- Introducir el huevo en la mezcla y dejarlo junto a la vela hasta que esta se consuma.
- A continuación, sin tocar el huevo, poner la copa en un lugar a oscuras.
- Al día siguiente, después que el sol haya salido, coger el huevo y observar si el nombre de la persona amada es legible. Si es así, quiere decir que sus intenciones son serias.

Para que este hechizo funcione es imprescindible que durante la noche nadie toque el huevo y que no se intente saber por anticipado el resultado ya que, de lo contrario, podría no ser fiable.

## PARA CONVENCERLE DE TUS BUENAS INTENCIONES

**31** Las personas que han sufrido en sus relaciones de pareja, por lo general se muestran desconfiadas y no se permiten aprovechar la oportunidad de volver a enamorarse. El miedo les hace ver malas intenciones en todos los que intentan coquetear con ellas. Este hechizo tiene como fin hacer que se vuelvan más receptivas. Es muy

antiguo y actúa durante el sueño, de modo que es mejor hacerlo por la noche.

Quienes han tenido malas experiencias amorosas, han sufrido desengaños o han entregado alguna vez su amor a personas desaprensivas, suelen mostrarse especialmente desconfiadas a la hora de comenzar una nueva relación. Este hechizo forma parte de un antiguo ritual mágico cuya fórmula, entre otras, es parte de un documento encontrado en una tumba de Tebas y conservado hasta nuestros días. Tiene por objeto enviar un mensaje sobrenatural que resulte convincente. En él se menciona al dios egipcio Seth y, como se puede observar en la invocación, el método empleado consiste en pedirle a la deidad que interrumpa el sueño de una persona presentándose bajo una forma temible, instándole a que acuda inmediatamente donde está su amada.

### ELEMENTOS NECESARIOS

Un frasco con tinta – Tres varillas de incienso de mirra – Un poco de pan – Un pincel fino – Un lienzo de 50 x 50 cm que no haya sido utilizado para ningún otro fin – Papel de aluminio.

## RITUAL

- Poner sobre la mesa de trabajo un trozo de papel de aluminio y, sobre él, en el centro, el pan boca abajo.
- Clavar en el pan las tres varillas de incienso (conviene antes hacer un pequeño agujero con un clavo para no romper el incienso.
- Encender las tres varillas con cerillas.
- Una vez que se hayan consumido, recoger en el papel de aluminio las cenizas. Volcarlas dentro del tintero, taparlo y agitar bien para que se mezclen con la tinta.
- Pintar en el lienzo, con la tinta así preparada, una figura de aspecto humano que tenga la mano izquierda extendida y la derecha hacia abajo, portando una larga espada que le llegue hasta los pies.
- Dibujarle cuatro alas que sobresalgan por los costados y, en la cabeza, cuernos de toro y una corona.
- De la parte posterior del cuerpo debe asomar una cola.
- Una vez completada la figura, recitar el siguiente conjuro: «Demon Bueno, cuyo poder es el más grande entre los dioses; escúchame y ven junto a (nombre de la persona amada), a su casa donde duerme, a su alcoba, y ponte a su lado con aspecto temible en virtud de los nombres grandes y poderosos del dios, y dile esto: te conjuro por tu fuerza, por el gran dios Seth, por el momento en que fuiste creado como dios grande, por el dios que va a profetizar lo de ahora mismo, por los 365 nombres del gran dios, a que vengas junto a (nombre de la persona amada), en este momento, en esta noche, y le digas esto en el sueño».
- Cuando surta efecto, tirar el lienzo a un pozo o a una corriente de agua (por ejemplo, a un río).

## PARA QUE OLVIDE A SU PAREJA ANTERIOR

**32** Las personas que inician una relación al poco tiempo de haber roto una pareja consolidada, suelen obligar a sus parejas a compartir la etapa de duelo, el período de desenamoramiento y olvido. En estos casos, la pareja anterior suele estar presente en sus vidas, ya sea porque se comentan los recuerdos, porque aún hay cosas pendientes con ella que deben ser tratadas o, sencillamente, porque se sufren estados de abatimiento ante la sensación de pérdida. Este ritual tiene por objeto hacer que una persona olvide a su pareja anterior y ponga todas sus energías en la consolidación de la que tenga en el presente.

Así como el enamoramiento puede presentarse de forma repentina, como un flechazo que atraviesa el corazón y convierte a la persona amada en el centro de todos los pensamientos, el proceso inverso lleva un tiempo más o menos largo que depende de las características psicológicas de quien lo debe vivir.

Tras una ruptura amorosa, sobre todo si no es uno mismo quien la ha propuesto, se abre un espacio oscuro en el que sólo se experimenta una gran nostalgia, tristeza y vacío interior. Se añoran los momentos felices y se tiende a olvidar, e incluso a deformar, los más desagradables; es un período de duelo en el cual la persona piensa que jamás encontrará un compañero que se pueda comparar al que se ha perdido.

Quienes aun así inician una nueva relación sin haber terminado este proceso, ya sea porque han podido sentir una atracción especial hacia otra persona o por-

que no puedan soportar la soledad, obligan a su pareja actual a luchar contra el fantasma de la anterior porque, de manera inconsciente, le hacen participar en la elaboración de su ruptura.

Es natural que, en estos casos, surjan las comparaciones; que a la persona ausente se la nombre constantemente y que eso moleste a la nueva compañera. Aun cuando haya mucho rencor y despecho y se hable de ella negativamente, el tenerla presente, el recordarla, no favorece la consolidación del vínculo que se intenta establecer y despierta el temor a que se pueda producir una reconciliación o que, sencillamente, se desee.

Este ritual tiene por objeto conseguir que la persona amada olvide a una pareja anterior; que ponga todas sus energías y su fuerza en la actual. Sirve, además, para infundir confianza en ambos miembros y para fomentar el diálogo y la complicidad. No deberá emplearse, de ningún modo, para separar a una persona de su pareja. El día más apto para comenzarlo es el sábado, dedicado a Saturno.

## ELEMENTOS NECESARIOS

Un trozo de hilo negro – Papel y lápiz – Una rosa roja – Una rosa blanca – Dos velas blancas, dos rojas, una azul y una negra – Tijeras – Un plato – Dos cajas pequeñas, con tapa.

## RITUAL

- Atar el hilo negro al tallo de la rosa roja y colgarla de un clavo, boca abajo y durante varios días hasta que esté completamente seca. Una vez conseguido esto, se podrán dar los siguientes pasos del ritual.

- En sábado, escribir en un papel el nombre de la persona amada y el de su pareja anterior.
- Poner encima de dicho papel un plato y, en él, encender una vela blanca con cerillas. Aunque la vela se consuma, no tocar el plato ni el papel.
- El domingo por la noche encender en el plato una vela roja y proceder como en el caso anterior.
- El lunes, de la misma manera, encender la vela azul.
- El cuarto día, es decir el martes, cortar con las tijeras el papel de modo de que en uno de los trozos esté el nombre de la persona amada y en el otro, el de su pareja anterior. Escribir el propio nombre en un tercer trozo de papel.
- Disponer los trozos de papel, de la siguiente manera y de derecha a izquierda: el que tenga el propio nombre, el que tenga el nombre de la persona amada y, en el extremo izquierdo, el de su pareja anterior.
- Colocar el plato que se ha venido utilizando entre el primer trozo de papel (de la ex pareja) y el que tiene el nombre de la persona amada y una vela roja entre este y el que contiene el propio nombre.
- Poner sobre el plato una vela negra y encenderla con cerillas. Encender, también, la vela roja.
- Poner la otra vela blanca sobre el papel que contiene el nombre de la persona amada.
- Al día siguiente, recoger la cera del plato y el nombre de la ex pareja y guardarlos en una de las cajas, junto con la rosa roja, ya seca, al tiempo que se dice: «Así como se ha secado esta rosa, que se seque tu nostalgia».
- Coger los otros dos papeles y guardarlos en la otra caja junto con la rosa blanca.
- Enterrar ambas cajas en lugares diferentes (al aire libre o en tiestos).

# PARA QUE ACEPTE CONVIVIR CONTIGO

**33** Aunque cada día son más las personas que aceptan convivir sin ningún tipo de compromiso con la persona amada, muchos siguen considerando el matrimonio como la única opción válida y correcta para iniciar una relación de convivencia. En ocasiones este criterio es personal pero, en otras, surge por influencia de los padres o amigos que, con la mejor buena voluntad, desean asegurar el futuro de la relación. Este hechizo sirve para que la persona amada acepte convivir y para calmar la ansiedad que eso pueda producir en las personas de su familia.

Quienes no están dispuestos a contraer matrimonio, ya sea porque consideren que las ataduras pueden ser más perjudiciales que beneficiosas, porque necesiten experimentar una sensación de absoluta libertad o por las razones que sean, no por ello renuncian a formar una familia, a convivir con la persona que aman. El problema se presenta si esta pone como condición realizar una boda formal.

Cuando en una pareja que lleva mucho tiempo se presenta esta disparidad de opiniones, por lo general se produce una crisis ya que ninguno de sus miembros tiene el valor suficiente para cortar el vínculo y pasar por el dolor de alejarse de la persona amada, pero tampoco quiere renunciar a sus ideas o principios o no puede controlar sus temores.

Muchas personas desean casarse por respeto a sus padres ya que, entre las personas mayores, hay quienes aún contemplan la convivencia como una forma de vida reñida con la moral. En estos casos llegar a un acuerdo puede ser más complicado porque quien desea la boda no tiene argumentos suficientes para justificar su decisión. Muchas parejas piensan que lo mejor es vivir juntos primero y luego, si la relación marcha bien, casarse, porque como adultos que son, tienen todo el derecho a decidir sobre la forma que desean vivir pero, al mismo tiempo, no quiere causar un disgusto a sus familiares.

La finalidad de este ritual tiene dos objetivos: el primero es conseguir que la persona amada acepte la convivencia, ya sea definitiva o temporalmente y el segundo, lograr que la familia lo acepte sin problemas. Deberá realizarse en jueves, por la noche.

### ELEMENTOS NECESARIOS

Papel y lápiz – Dos argollas de metal – Dos cajas pequeñas, con tapa – Una vela blanca y otra roja – Una vara de incienso de mirra – Una cinta blanca – Una rosa blanca, con su tallo – Tijeras.

### RITUAL

- Encender las dos velas con cerillas y el incienso de mirra.
- Escribir en un trozo de papel el nombre de las personas que influyen en la pareja para que esta no acepte la convivencia. Si no hubiera ninguna, escribir su nombre.
- Guardar el papel en una de las cajas.
- Quitar con cuidado las espinas a la rosa y, con la tijera, cortarles la punta. Guardarlas en la caja donde se ha puesto el papel con el nombre de los que se oponen a la convivencia.
- Escribir en otro trozo de papel el propio nombre y el de la persona amada y

guardarlos en otra caja. Añadir a esta los pétalos de la rosa y las dos argollas de metal diciendo: «Que el poder del trueno y la luz del rayo iluminen nuestras vidas. Que la unión que te propongo, sea para toda la eternidad».

- Cuando la vela y el incienso se hayan consumido, tapar ambas cajas y atar la que contiene los pétalos de rosa con la cinta blanca, haciéndole nueve nudos.

## PARA DISOLVER SU TEMOR
## AL MATRIMONIO

**34** Con la generalización de los matrimonios de hecho, de las convivencias que se establecen sin pasar por un juzgado o una iglesia, muchas personas han decidido no casarse, en tanto que otras sueñan con el día de su boda. Esta diferencia de criterios puede generar tensiones y problemas en muchas parejas por ello se presenta este hechizo que tiene por objeto hacer que la persona amada pierda el temor a comprometerse formalmente mediante el matrimonio.

El matrimonio sigue siendo la forma en que una gran parte de la población funda su familia. Las uniones de hecho, en algunos países son casi inexistentes y no son vistas con buenos ojos por parte de la sociedad, en tanto que en otras son cada vez más habituales.

El matrimonio es la unión de dos personas y sus fines son la formación de una familia, la protección mutua de los cónyuges y el cuidado de los hijos. Estas también son las premisas de las uniones de hecho, pero la mayor diferencia, en todo caso, está en que, a través de una ceremonia civil o religiosa, el pacto se hace público, el compromiso se toma ante la familia y amigos de los contrayentes.

En los países en los que no existe el divorcio, la unión matrimonial se considera indisoluble aunque por medio de la separación jurídica la

convivencia se interrumpa. Si uno de los miembros de la pareja reha-
ce su vida con otra persona, no puede casarse con ella y esta no puede
percibir los derechos derivados del matrimonio,
como son el cobro de pensiones, las heren-
cias, etc.

Hay personas que sueñan con su boda desde
muy temprana edad, en tanto que otras deciden que
no se van a casar nunca. El problema es que si quien
desea hacerlo se enamora de alguien que no esté dispuesto a ello, es difícil que interrumpa la relación desde un comienzo; lo más probable es
que confíe en que, con el tiempo, cambiará de idea. Si esto no sucede,
el vínculo se deteriora con gran dolor para ambos.

Este hechizo tiene por objeto fomentar en la pareja el deseo de contraer matrimonio. Puede realizarlo un hombre o una mujer cuya pareja no se muestre dispuesta a ello. Deberá efectuarse en día viernes, por
la noche.

## ELEMENTOS NECESARIOS

Una taza de azúcar – Un cazo – Una cadena (puede ser de cualquier
tipo y tener unos 10 cm de largo) – Agua de azahar – Una vela blanca – Un trozo de tul blanco – Incienso de mirra – Unas tenazas, pinzas
o alicates – Una manzana.

## RITUAL

- Encender la vela y el incienso con cerillas.
- Poner el azúcar en un cazo y salpicarlo con agua de azahar, de

modo que quede totalmente humedecido pero que no sobre líquido.

- Calentarlo a fuego lento, moviendo el cazo
  para que todo el azúcar se caramelice.
- Una vez que haya adquirido color
  dorado, sumergir en él la cadena re-
  moviéndola para que se pegue a ella
  el caramelo.
- Sacar la cadena del cazo con las
  pinzas, teniendo mucho cuidado de no quemarse, y sostenerla en
  el aire hasta que se enfríe.
- Envolver la cadena en el trozo de tul blanco, al tiempo que se dice,
  pensando en la persona amada: «Que las fuerzas superiores disuel-
  van tus temores y te permitan encontrar la felicidad».
- Dejar el paquete debajo de un árbol, junto con la manzana.

## PARA QUE LA BODA SEA UN ÉXITO

**35** La ceremonia nupcial, sea civil o eclesiástica, es uno de los momentos más emocionantes en la vida de una persona; por ello todos los detalles que se relacionan con él deben ser atendidos con el máximo cuidado para que ningún imprevisto estropee o desluzca un momento tan significativo. Este hechizo tiene por objeto lograr que la boda sea un éxito, tanto desde el punto de vista de los novios como de los invitados; que cumpla o supere todas las expectativas de los contrayentes dejando en ellos un hermoso e inolvidable recuerdo.

La preparación de una boda es una tarea complicada y agotadora que se desarrolla a lo largo de varios meses. Esta labor se inicia con la elección de la fecha para el enlace y las correspondientes gestiones con el registro civil correspondiente o con la iglesia en la que se quiera celebrar, y lleva aparejada una infinidad de procesos: la elección del traje de la novia, el lugar donde se celebrará el banquete, la elección de las personas que acudirán al evento, la impresión y envío de las invitaciones, la lista de boda, etc. En cada uno de ellos deberá prestarse atención a muchos detalles de los cuales depende que ese día, tan importante, se convierta en uno de los recuerdos más hermosos y emocionantes.

Este ritual tiene por objeto conseguir que la boda sea un éxito; que la felicidad de los cónyuges sea compartida con los invitados y que estos se sientan cómodos y bien atendidos. Deberá llevarse a cabo el jueves anterior al día de la boda, por la noche, y lo puede efectuar tanto el novio como la novia.

## ELEMENTOS NECESARIOS

Dos alfileres con la cabeza blanca o perlada – Cinco velas blancas – Un trocito de tul blanco, de 10 x 10 cm aproximadamente – Agua de azahar – Una varilla de incienso de jazmín – Un corcho – Un vaso – Un clavo – Tijeras.

## RITUAL

- Encender con cerillas las cinco velas y disponerlas sobre una mesa de modo que formen un círculo.
- Llenar las tres cuartas partes del vaso con agua de azahar.
- Con el clavo, hacer un agujero en la parte superior del corcho. Clavar en ese agujero la vara de incienso y encenderla.
- Clavar los dos alfileres en la cara del corcho opuesta a la que tiene el incienso y meterlo dentro del vaso con agua de azahar, de manera que quede flotando.
- Cuando el incienso se haya consumido, quitarlo del corcho y cubrir el vaso con el tul al tiempo que se dice: «Las fuerzas superiores me darán voluntad para que la boda sea perfecta».
- Cubrir el vaso con el trozo de tul y, una vez que las velas se hayan consumido, guardarlo en un lugar a oscuras.
- El día de la boda, cada uno de los contrayentes deberá llevar en algún lugar de su vestimenta uno de los alfileres que han estado clavados en el corcho.
- Del tul se cortará un cuadrado de 3 x 3 cm y, tras la ceremonia, se dejará caer o se esconderá en el lugar donde se haya celebrado (registro civil, atrio de la iglesia, etc.) al tiempo que se dice: «Todo saldrá según mi voluntad».

## PARA PERDER EL MIEDO AL SEXO

**36** Este hechizo tiene como fin el conseguir que una persona pierda el miedo o elimine los bloqueos interiores que le impidan tener relaciones sexuales con su pareja, aunque lo esté deseando. El ritual puede ser realizado por ella misma o bien por su compañero, pero siempre con su debido consentimiento. Si el rechazo a las relaciones íntimas se basaran en cuestiones morales o religiosas, este hechizo no debe llevarse a cabo.

Aunque las costumbres sexuales se han liberalizado en los últimos 50 años, hay personas que, aun cuando estén dispuestas a mantener encuentros íntimos sin haberse casado, no pueden hacerlo debido al terror de sufrir un excesivo dolor durante la primera relación, por miedo a lo que pudieran decir sus padres si se enteraran o por temor a un embarazo no deseado

Para otras, resulta difícil dar este paso porque no se sienten conformes con su propio cuerpo ni con su falta de experiencia y piensan que, tras el encuentro, van a ser abandonadas. Las razones por las cuales alguien pueda experimentar atracción y rechazo a la vez hacia las relaciones sexuales son muchas y muy variadas pero si este tipo de situaciones no se solucionan en un plazo relativamente corto, a menos que la negativa se base en motivos religiosos o morales, pueden crear fisuras en la pareja de ahí que lo más aconsejable sea hacer una consulta a un sexólogo o a un psicólogo.

Este hechizo puede hacerlo la persona interesada en perder el miedo o bien su pareja, siempre y cuando el motivo por el cual no se tengan relaciones sea el temor y no los condicionamientos morales o religiosos. Tampoco debe realizarse para conseguir favores sexuales de una persona que no sea la pareja ya que ello podría tener malas consecuencias sobre esta y sobre quien realiza el ritual. Este deberá hacerse en viernes.

## ELEMENTOS NECESARIOS

Un coco – Un clavo – Un martillo – Un vaso – Una sierra pequeña – Un cuchillo – Papel y lápiz – Un puñado de pétalos de rosa – Una cucharada de azúcar – Una vela roja – Una cinta o cordón rojo – Un tiesto con tierra.

## RITUAL

- Hacer con el clavo dos agujeros en el coco, ayudándote con un martillo en dos de los tres círculos lisos y más oscuros que hay en su parte superior. Agrandarlos lo más posible a fin de extraer el líquido de su interior.
- Verter el agua del coco en un vaso o en una olla.
- Serrar el coco en dos mitades con la ayuda de la sierra.
- Con un cuchillo, extraer toda la pulpa de su interior procurando no romper la cáscara.
- Encender la vela con cerillas.
- Escribir en el papel el nombre de ambos miembros de la pareja.
- Poner el papel, las rosas y el azúcar dentro de una de las mitades del

coco y luego cerrarlo con la otra mitad al tiempo que se dice: «Me doy permiso para hacer uso de mi cuerpo, para experimentar libremente el placer y para dárselo a (nombre de la pareja)». Atar ambas mitades con la cinta para que no se separen.

- Sellar con la cera de la vela, poco a poco, las dos mitades del coco que han sido serradas. También los agujeros que se han practicado con el clavo. Para esto último, lo más conveniente es recoger un poco de cera en un papel de plata y, mientras esté tibia, amasarla para hacer con ella un tapón.

- Una vez que el coco ha sido sellado, enterrarlo en un tiesto o al aire libre.

## PARA AUMENTAR LA PASIÓN

**37** Cuando una relación cae en la rutina, los encuentros sexuales se hacen menos frecuentes y la pasión, en general, disminuye. Este ritual tiene por objeto restaurar el deseo que se ha perdido y potenciar el descubrimiento de nuevas formas y experiencias que enriquezcan la vida sexual. A diferencia de la mayoría de los hechizos, la ceremonia deberá ser efectuada por ambos miembros de la pareja.

Con el paso del tiempo, y sobre todo cuando uno de los miembros de la pareja pasa por una etapa de problemas y tensiones, la pasión inicial suele disminuir dando paso a otros sentimientos. Son muy pocas las parejas que saben conservar a lo largo de la vida en común la chispa del deseo, la emoción de los encuentros íntimos, una irresistible atracción por la persona que han elegido. Pero aun así, estos matrimonios no están libres de pasar por etapas de inapetencia sexual o de, al menos, una merma en el interés por los juegos eróticos.

Este ritual tiene como objeto aumentar la pasión en la pareja y proporcionar a sus miembros un placer aún mayor en sus encuentros sexuales. A diferencia de la mayoría de los hechizos que se explican en este libro, deberá ser efectuado por los dos componentes de la relación. Es necesario que ambos estén de acuerdo en cuanto a la conveniencia de llevarlo a cabo, que sigan estrictamente los pasos del mismo y que muestren el debido recogimiento y concentración durante la ceremonia. Puede llevarse a cabo en cualquier día de

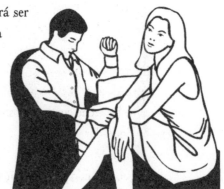

la semana pero el requisito importante, en este caso, es que mantengan abstinencia sexual en los cinco días previos a la realización del ritual.

## ELEMENTOS NECESARIOS

Una cucharadita de canela en polvo – Una vela roja – Una cucharada de miel – Una cinta roja – Una arandela plateada de diámetro mayor que el de la vela – Una varilla de incienso de canela – Cinco hojas de laurel – Una rosa roja – Un alfiler u objeto punzante – Seis granos de pimienta – Un pañuelo rojo o un paño de ese color que haga las veces de mantel.

## RITUAL

- Disponer la canela, la vela, la miel, la cinta, el incienso y la arandela sobre un paño rojo.
- Hervir en una olla con un litro de agua las hojas de laurel con tres granos de pimienta, durante cinco minutos. Colarlo y dejar que se enfríe.
- Hervir en un recipiente aparte y durante cinco minutos la rosa junto con los otros tres granos de pimienta. Colarlo y dejarlo enfriar.
- Una vez que ambos preparados se hayan templado y tras haberse dado una ducha, la mujer debe echar el agua en la que se ha hervido el laurel sobre los pies de su compañero y este, el preparado que se ha hecho con la rosa sobre los pies de ella.
- Encender el incienso.
- Cada uno de los miembros de la pareja escribirá su nombre en la vela, usando para ello un alfiler u otro objeto punzante.

- La mujer deberá untarse las manos con miel e impregnar con ella la vela, moviendo las manos de arriba hacia abajo siete veces.
- El hombre, forrará la arandela con la cinta roja.
- Cuando la arandela haya sido forrada, el hombre sostendrá la vela con la mano izquierda y la mujer introducirá en ella la arandela. Ambos deben decir: «Por el poder del fuego, que el amor que nos une incremente nuestra mutua pasión».
- A continuación, cada uno de ellos echará una pizca de canela sobre la llama. Hecho esto, se cogerán las manos y quedarán uno frente a otro hasta que la vela se haya consumido.
- Hacer con los restos un paquete y guardarlo debajo de la cama.

## PARA INCREMENTAR EL DESEO

**38** Es difícil que la intensidad de las relaciones sexuales propias de la etapa de enamoramiento se mantenga a lo largo de una relación de muchos años; por lo general, los encuentros disminuyen o se hacen más rutinarios y menos placenteros. Es responsabilidad de los amantes buscar nuevas formas de contacto, estimular la fantasía propia y del compañero con el objeto de que cada encuentro sea tan emocionante como los primeros. Este hechizo sirve para incrementar el deseo sexual de ambos, para conseguir una unión sexual plena y gozosa.

En los primeros tiempos de una relación de pareja el contacto es muy intenso. Hay una gran avidez por conocer lo más profundamente posible a la persona amada. La pasión hace que los encuentros sexuales sean frecuentes, emocionantes y muy placenteros. El mundo de cada amante gira alrededor de la persona que ha encontrado para compartir su vida y ambos desean pasar juntos la mayor cantidad de tiempo posible y para que esto se cumpla, necesitan tomar distancia con muchas de sus aficiones y amistades. En todo el proceso de enamoramiento, las hormonas y neurotransmisores juegan un papel esencial ya que incitan a la unión.

Pasado un tiempo que puede estimarse en ocho meses o un año pero que no es el mismo en todas las parejas, la etapa de enamoramiento finaliza; la vida vuelve al ritmo normal; los amantes van retomando sus intereses habituales y la relación se establece bajo sentimientos más profundos, sólidos y duraderos aunque, quizás, no tan intensos desde el punto de vista físico como la emoción. Las hormonas se estabilizan y, por lo general, los encuentros sexuales también disminuyen.

Esta merma no indica necesariamente falta de amor o de interés pero si uno de los miembros de la pareja tiene una conducta sexual más activa que el otro, la disminución de los encuentros sexuales pueden hacerle sentir rechazado o pensar que ya no le quieren como al principio.

Si la pareja evoluciona correctamente, buscará nuevas formas para encontrar placer en las relaciones pero si no lo hace, la rutina y la falta de emoción puede causar estragos y determinar, al fin, una ruptura.

Este hechizo tiene como fin incrementar el deseo sexual de una pareja que, habiéndose casado o no, ya ha comenzado a tener encuentros íntimos. Deberá hacerse en jueves, día dedicado a Júpiter, mientras la Luna esté en cuarto creciente.

### ELEMENTOS NECESARIOS

Dos velas rojas – Una guindilla – Dos piedras rojas – Una rosa roja – Una cesta – Siete varillas de incienso de almizcle – Una frasco de agua de rosas o de esencia de esta flor – Papel y lápiz.

### RITUAL

- Escribir el nombre de los dos miembros de la pareja en un papel, y poner este dentro de la cesta.
- Deshojar la rosa y echar los pétalos dentro de la cesta, cubriendo su fondo.
- Añadir también las dos piedras.
- Untar ambas velas con el agua o esencia de rosas, moviendo las manos de arriba hacia abajo; nunca en sentido contrario.

- Encender junto a la cesta una de las varas de incienso diciendo: «Así como arde este incienso, ardan de pasión nuestros corazones».
- Repetir esta operación durante los siguientes seis días.
- Una vez consumidos los inciensos, encender las dos velas.
- Poner en un papel el contenido de la cesta excepto las dos piedras y los restos de cera de las dos velas. Hacer un paquete y enterrarlo o dejarlo en un cruce de caminos o calles.
- Poner cada una de las piedras debajo de la cama, a la altura de la cabeza de los miembros de la pareja.

## PARA QUE ACUDA JUNTO A TI

**39** La timidez o falta de decisión a la hora de comenzar una relación de pareja afecta no tanto a quienes padecen estos problemas sino, también, a la persona por la que se sienten atraídos. Su actitud de acercarse y alejarse resulta confusa y genera mucha ansiedad porque obliga a esta a dudar de las señales de interés que percibe. Este hechizo tiene por objeto disolver el miedo a enamorarse y comprometerse, y sólo debe realizarse en caso de que, en algún momento, el sujeto a quien se destina haya dado muestras de estar interesado en una posible relación con el oficiante.

El sentimiento amoroso genera en algunas personas un profundo temor; por un lado les hace sentir que entregándose a él serán menos dueñas de sí mismas y, por otro, imaginarse que la ausencia de la persona amada o su rechazo provocará en ellas un dolor profundo e incurable.

Para evitar el enamoramiento, estas personas generalmente toman la mayor distancia posible con cualquier hombre o mujer que sea capaz de despertar su corazón, que les haga emocionarse o que suscite su deseo.

El problema se presenta cuando esta retirada es iniciada después de haberse establecido un período de seducción o, peor aún, si no son capaces de cumplir cabalmente su propósito de alejarse porque, en este caso, lo que hacen es aproximarse a la persona amada, emitir señales de interés y luego salir huyendo en el momento en que se sienten correspondidos.

Con esta conducta la deja sumida en un mar de confusiones ya que, por un lado la invitan, pero por otro la rechazan.

Si la persona a la que aman se muestra receptiva y dispuesta, sus temores no disminuyen sino que, por el contrario, aumentan y le obligan a tomar una mayor distancia para evitar el encuentro; por ello, lo mejor que se puede hacer en caso de querer establecer un vínculo con un hombre o mujer de estas características, es no mostrar el menor interés; eso hará que se confíe y se acerque. Todo intento de ayudarles a vencer sus miedos no hará más que acrecentarlos.

Este hechizo tiene por objeto hacer que una persona supere los temores que le provoque el enamoramiento. No debe realizarse a menos que haya dado claras muestras de interés y debe hacerse sólo con la intención de que pueda vencer sus miedos; no para enamorar a alguien que, de momento, no se sienta atraído. El día más indicado para llevarlo a cabo es el miércoles.

## ELEMENTOS NECESARIOS

Una moneda de plata (o plateada) que en una de sus caras tenga el rostro de una persona del mismo sexo que aquella a la que se hace el hechizo – Cinco clavos de olor – Un clavo de metal – Una vela verde – Papel y lápiz – Tijeras.

## RITUAL

- Cortar una tira de papel que tenga la misma longitud que la vela y 1 cm de ancho, aproximadamente.
- Escribir en él el nombre de la persona amada.

- Templar el clavo de metal en el fuego (no es necesario que esté muy caliente) y hacer con él, en la vela, cinco agujeros que queden a la misma distancia entre sí. Conviene marcar primero el lugar donde se practicarán hincando la uña en la vela. El clavo no deberá clavarse horizontalmente sino apuntando hacia el centro de la vela y hacia abajo.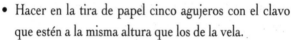
- Hacer en la tira de papel cinco agujeros con el clavo que estén a la misma altura que los de la vela.
- Sujetar el papel a la vela introduciendo en cada uno de los agujeros practicados uno de los clavos de olor.
- Encender la vela pensando en la persona amada, al tiempo que se dice: «Ven a mí; sólo quiero darte mi amor».
- Dejar que la vela se consuma hasta el segundo clavo y apagarla mojándose los dedos índice y pulgar y apretando entre ellos el pabilo.
- En los días siguientes repetir los dos puntos anteriores, hasta que toda la vela se haya consumido.

## PARA POTENCIAR EL ROMANTICISMO

**40** El romanticismo, en el amor, consiste en emocionar a la persona amada por medio de gestos, actitudes o palabras. Es una manera de comunicar los sentimientos de la forma más impactante posible. Su ausencia no indica falta de afecto sino, más bien, temor a conmocionarse, a perder el control racional. Este hechizo tiene por objeto conseguir que la pareja tenga actitudes más románticas. Quienes lo realicen, deben tener paciencia y esperar a que, poco a poco, la persona amada pierda el miedo a emocionarse.

La mayoría de los problemas e insatisfacciones que surgen en el seno de una pareja, por lo general se basan en criterios diferentes a la hora de entender tanto los sucesos externos como los internos. Cada uno de los miembros tiene su propia personalidad que le lleva a comprender las cosas de un modo peculiar, en ocasiones muy diferente del de su compañero.

En gran medida, el signo zodiacal influye mucho en la manera de ver el mundo o experimentar los estados interiores; algunos dan una gran importancia al orden externo en tanto que otros prestan mayor atención a la esfera mental; unos son muy activos y optimistas en tanto que otros, que no confían en las apariencias, son más sosegados y reflexivos.

En lo que respecta al amor, hay quienes no tienen ningún tipo de reparos en mostrarse cariñosos en público, en decir frases bonitas y emocionantes, en mostrarse románticos y otros que, por mucho que se esfuercen, no comprenden ese lenguaje y, en el fondo, piensan que son «afectivamente defectuosos».

En el amor, se entiende por romanticismo una serie de actitudes, gestos y palabras con las que se pretende demostrar el afecto especial y profundo que se siente hacia la persona que se ha elegido. Son actitudes que buscan, fundamentalmente, emocionar al compañero. Y, precisamente, aquí está la clave de muchos desencuentros y quejas, sobre todo de mujeres que reclaman una actitud más romántica por parte de sus parejas.

Es necesario distinguir entre dos conceptos: amor y emoción. La emoción es un sentimiento intenso, superficial y pasajero, que se podría comparar con el fuego de una cerilla. Se experimenta no sólo en el corazón sino, también, físicamente por medio de las lágrimas (de felicidad o dolor), el nudo en el estómago, el rubor, la palidez repentina, el quedarse sin habla o el tartamudeo, etc. Pero este sentimiento, tan pronto como viene, se va sin dejar casi huella. Una persona fuertemente emotiva puede estar llorando sin consuelo ante la escena dramática que ve en el televisor, pero si se cambia de cadena pasando a una divertida comedia, empieza a reírse alegremente olvidando lo anterior. Y es tan sincera cuando llora como cuando ríe. Por el contrario, para quienes tienen una personalidad poco inclinada a «emocionarse», se sienten profundamente perturbados e, incluso, asustados, cuando algo les provoca una intensa sacudida interior por eso, en la medida de lo posible, evitan que eso suceda. Eso no quiere decir que no sientan o que sus afectos sean de peor calidad sino que los experimentan de otro modo.

Las personas románticas esperan que sus parejas les den muestras de amor emocionantes: palabras poéticas, regalos inesperados, gestos tiernos, que pongan la rodilla en tierra a la hora de

declararse, serenatas, etc., pero difícilmente tengan ojos para ver otras muestras de amor mucho más sólidas aunque menos espectaculares: sacrificios, ayuda en todo lo posible, generosidad con el trabajo y con el tiempo, aliento en los momentos difíciles, escucha, comprensión, etc. Y así como es deseable que las personas más frías aprendan a emocionarse, también lo es que quienes no tienen dificultades en este sentido, aprendan a ver otras demostraciones de afecto que, por lo general, no tienen en cuenta.

Este hechizo tiene por objeto conseguir que la pareja sea más romántica. Deberá hacerse en viernes, por la noche y, preferiblemente, con Luna llena.

## ELEMENTOS NECESARIOS

Esencia de jazmín – Un bombón que contenga licor – Una jeringuilla con su aguja – Siete huesos de fruta del tiempo (melocotón, albaricoque, cereza, etc.) – Un trozo de papel decorativo, para envolver regalos – Una vela rosada – Una vara de incienso de jazmín – Un cuentagotas (se consigue en cualquier farmacia).

## RITUAL

- Encender la vela y el incienso con cerillas.
- Poner tres vasos de agua en una cacerola y hacer hervir los huesos de los frutos (pueden ser de una misma especie o variados). Dejarlos tres minutos, apagar el fuego y esperar a que el preparado se enfríe.

- Con la jeringuilla, extraer todo el licor posible del interior del bombón.
- Utilizando el cuentagotas, mezclar en un vaso 15 gotas de esencia de jazmín, 15 de la pócima que se ha hecho con los huesos y 15 del licor que se ha extraído del bombón.
- Una vez que los ingredientes estén mezclados, introducirlos con la jeringuilla en el bombón.
- Sellar el agujero que se ha practicado con una gota de cera de la vela, al tiempo que se dice, pensando en la persona amada: «Que estas esencias abran tu corazón».
- Envolver el bombón en papel de regalo y enterrarlo en un tiesto o al aire libre.

## PARA EVITAR SER INFIEL

**41** Si se quiere vencer la tentación de cometer una infidelidad, lo primero que debe hacerse es evitar cualquier fantasía con la persona por la cual uno se siente atraído. No hay por qué sentirse culpable a la hora de desear a alguien a pesar de mantener una relación de pareja, ni pensar que el amor se ha acabado sino tomarlo como un hecho natural. Este hechizo fortalece la claridad mental y aporta fuerza de voluntad para mantenerse fiel a la pareja aun cuando aparezcan en su vida personas que despierten un particular interés.

A lo largo de la vida en pareja, se pueden presentar muchas tentaciones; nadie está exento de sentirse sexualmente atraído por una tercera persona ni eso significa que se haya dejado de amar al compañero. No obstante, muchas personas que pasan por este tipo de experiencias, que de la noche a la mañana se dan cuenta de que sienten un especial interés hacia alguien que parece hacerles caso, se hunden en un mar de confusiones en lugar de tomar el hecho como cosa natural y sin mayor trascendencia. Con su actitud, la situación suele agravarse ya que cuestionan la validez del amor que sienten hacia su pareja habitual o, peor aún, intentan justificar el deseo sexual o de coqueteo que experimentan ante la persona nueva que ha aparecido en su vida buscando rasgos de insatisfacción en el vínculo que han venido sosteniendo.

Como dice el refrán, a nadie le amarga un dulce; los juegos de seducción aumentan la autoestima y suscitan emociones muy placenteras pero, si se desea mantener la fidelidad es importante mantenerse lejos de este tipo de actividades. Esto se consigue tomando

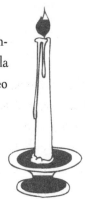

distancia con la persona deseada y, sobre todo, no dando rienda suelta a las fantasías ya que son estas las que aumentarán la necesidad de promover encuentros, de comprobar si el deseo es correspondido, etc.

Este hechizo tiene como fin fortalecer la fuerza de voluntad de modo que pueda vencerse la tentación de cometer una infidelidad. Deberá ser realizado en sábado.

### ELEMENTOS NECESARIOS

Dos cintas finas negras y otra roja de unos 40 cm de longitud, aproximadamente – Un cabello propio y otro de la pareja – Tres gotas de lejía – Una vela morada.

### RITUAL

- Encender la vela morada con cerillas.
- Anudar las tres cintas por uno de sus extremos y comenzar a hacer una trenza.
- Intercalar en la trenza el propio cabello y el de la persona amada.
- Una vez finalizada esta tarea, hacer un nudo para que no se deshaga la trenza.
- Ponerla alrededor de la vela, trazando un círculo y echar sobre ella tres gotas de lejía.
- Una vez que la vela se haya consumido, atar la cinta a una columna, a un barrote de hierro o a cualquier pieza que esté sólidamente anclada en el piso, al tiempo que se dice: «Para que mi deseo sea firme como esta (columna, roca, barrote, etc.) y sólo se dirija hacia ti».

# PARA EVITAR LA INFIDELIDAD DE LA PAREJA

**42** Uno de los motivos más habituales que llevan al divorcio es la infidelidad. Aunque no todas las personas que tienen una aventura o que llevan una doble vida están dispuestas a separarse, es bastante frecuente que la persona engañada decida poner fin a la relación porque siente que no podrá volver a confiar en su pareja. Este hechizo tiene por objeto evitar la infidelidad del compañero. No es necesario que aparezcan los primeros síntomas de engaño para llevarlo a cabo, también se puede realizar a modo de prevención.

Uno de los puntos a los que se presta mayor atención en una relación de pareja es la fidelidad. Aunque hay personas que deciden tener relaciones abiertas, que no exigen exclusividad en materia sexual, la gran mayoría inicia sus relaciones dando por supuesto que ambos se comprometen a no tener encuentros íntimos con terceros. Aun así, son muy pocas las parejas que llevan muchos años de convivencia sin que ninguno de los dos haya tenido alguna aventura extramatrimonial; lo más común es que, en algún momento, tanto el hombre como la mujer se hayan dejado llevar por el deseo incumpliendo el compromiso contraído con su compañero. Y lo más grave en estos casos no es el simplemente haber compartido lecho con otra persona sino los engaños y mentiras que, a partir de ese momento, se utilizan para ocultar lo sucedido.

A la hora de hablar de infidelidad, es necesario distinguir entre las aventuras esporádicas, producto de un momento de debilidad, y las que se continúan en el tiempo haciendo que se lleve una doble vida. Las primeras están motivadas por la atracción física; en ellas no hay amor ni compromiso; comienzan y acaban repentinamente y no generan mayores secuelas. Las segundas, en cambio, constituyen un verdadero engaño y una falta de lealtad ya que con el amante se comparten situaciones y emociones que, se supone, deben ser ser vividos con la pareja. La situación se agrava en caso de que esta sospeche que está siendo traicionada. La mayoría de las veces no tiene pruebas tangibles que le den la razón, pero su intuición le indica que su pareja le es infiel.

Cuando una persona inicia una doble vida muchos de sus hábitos cambian debido a la influencia que ejerce la relación paralela y estos cambios se cristalizan en el interés que muestra por cosas que jamás le habían llamado la atención. Si antes no escuchaba música clásica pero esta es la que escucha su amante, se aficiona a ella y la pone en todo momento para tenerla presente; descubre nuevos lugares donde ir a comer o conoce la trama de la película que acaban de estrenar; se compra ropa nueva y más atrevida; adquiere una serie de conocimientos que intenta comentar con su esposa y que, evidentemente, no los ha aprendido en la oficina; si suena el teléfono se precipita sobre él para atenderlo; llega más tarde con la excusa de tener mucho trabajo; se pasa largos momentos, como ausente, suspirando, etc. Estas modificaciones en su comportamiento hacen que su compañero habitual intuya que algo no marcha como debiera y lo interrogue al respecto obteniendo, casi siempre, una negativa por respuesta. Con la mentira, la persona infiel obliga a su pareja a tener que decidir qué es lo que debe creer: si a su sentido común, a su intuición que le dice a gritos que su pareja mantiene una relación paralela o basarse en la confianza que siente hacia su compañero, hacia la persona con la que ha decidido libremente compartir su vida. A eso se suma el temor a

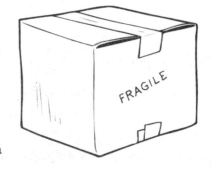

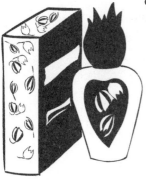

que el vínculo se rompa, a enfrentarse con un futuro incierto y amenazador. El resultado que la situación produce en su mente es ansiedad, temor, angustia y confusión. Este hechizo tiene por objeto evitar la infidelidad de la pareja. No es necesario esperar a que haya indicios de engaño para realizarlo sino que puede hacerse en cualquier momento como prevención. El mejor día para llevar a cabo el ritual es el sábado.

## ELEMENTOS NECESARIOS

Una barra de pan – Una cucharada de sal gorda – Un folio – Lápiz negro y lápiz rojo – Un pincel – El perfume que se use habitualmente – Un cabello de la pareja y uno propio – Una rama de canela – Una caja pequeña, con tapa – Una vara de incienso de canela – Una vela roja, una negra y una blanca – Una cucharada de miel – Tijeras – Un palillo – Papel de aluminio.

## RITUAL

- Encender las tres velas y la vara de incienso con cerillas.
- Con la miga de pan, hacer la mayor cantidad de bolitas posibles. Estas deben tener el tamaño aproximado de un garbanzo.
- Una vez que se hayan hecho las bolitas, separar dos de ellas y dejarlas aparte.
- En cada una de las bolitas restantes, introducir un grano de sal y volverlas a amasar de modo que este quede cubierto por la miga. Dejarlas reservadas por el momento.
- Coger una de las dos bolitas que se habían reservado y echar sobre ella el perfume (en caso de no tener, emplear un poco del jabón que

se utiliza normalmente). Cortar un trocito de canela y ponerlo dentro de la bolita junto el cabello propio. Amasar bien para que los ingredientes queden en su interior.

- Volcar cera de la vela roja sobre un trozo de papel de plata y pasar por ella esta bolita de manera que quede totalmente cubierta.

- Coger la bolita restante y amasarla junto con el cabello de la persona amada.

- Volcar cera de la vela blanca en papel de plata y pasar por ella esta bolita hasta que quede totalmente cubierta.

- Volcar cera de la vela negra en papel de plata y pasar por ella, una a una, todas las bolitas que contengan un grano de sal hasta que estén totalmente cubiertas diciendo: «Por el poder de Saturno, que su energía no sea para ti».

- Escribir en un folio el nombre de la pareja y el propio, y encerrarlos en un círculo rojo.

- Recortar el círculo con las tijeras procurando que estas no toquen el trazo.

- Pintar el círculo con miel al tiempo que se dice: «Enséñame a darte lo que necesitas».

- Enrollar el círculo; volcar cera blanca y roja en papel de plata, mezclarlas con un palillo y pasar el círculo por la cera hasta que quede totalmente cubierto.

- Guardar en la caja el círculo y todas las bolitas que se hayan preparado.

- Esconder la caja en un lugar oscuro, donde nadie la pueda tocar y no volverla a abrir.

# PARA COMBATIR LOS PROPIOS CELOS

**43** Los celos, cuando son intensos o se presentan continuamente, hacen la vida imposible no sólo a quien los padece sino, también, a las personas que aman. La mejor solución para quienes no los pueden controlar, para aquellos que tienen estallidos emocionales en los cuales se combina el afecto con el rencor, es acudir a la consulta de un psicólogo. El hechizo que aquí se presenta tiene como fin atenuar los accesos de celos, siempre y cuando estos no constituyan una enfermedad.

Los celos constituyen una serie de emociones y sentimientos basados en el temor de no ser correspondido por la persona amada; en el miedo que surge ante la posibilidad de que otra persona ocupe el centro de sus pensamientos y deseos. Es normal tener celos graduados cuando se quiere a alguien, sin embargo, si su intensidad o frecuencia son excesivamente altas, se convierten en un estado patológico que requiere la intervención de un psicólogo. Por lo general surgen ante la relación real o imaginada que mantiene la persona amada con otra que pudiera considerarse un rival, de modo que el celoso ansía que su pareja permanezca con ella la mayor cantidad de tiempo posible, que no establezca contacto con otras personas y que le dedique toda su atención.

Como estos sentimientos se apoyan en la falta de autoestima, el celoso parte de la idea de que no está a la altura de lo que su pareja quiere o necesita y esta falta de confianza en sí mismo hace que también desconfíe de la fidelidad de su compañero. Eso le lleva a vigilar estrechamente todos sus movimientos, a tenderle trampas que corroboren sus sospechas (la mayor parte de las veces, infundadas), a impedir su asistencia a cualquier tipo de evento social y a controlar su vida.

Cuando los celos se hacen críticos, cuando estalla la tormenta, quien los padece siente una mezcla de amor, odio y desesperación. Imagina que ha sido o está siendo traicionado y eso le enfurece, al punto de poder hacer auténticas barbaridades. La hostilidad surge del dolor que imaginan ante el inminente abandono por parte de su pareja de manera que se sienten con todo el derecho de responder a ese supuesto abandono que ellos viven como agresión. Consideran que su amante es desagradecido, que no ha sabido valorar el amor que le han entregado y que, por ello, merece ser castigado. La retirada de su afecto no sólo les resulta insuficiente como penalización sino que, además, no pueden llevarla a cabo porque son emocionalmente muy dependientes y la sola idea de imaginar a la persona amada en brazos de otra, les produce tal conmoción interior que les anula la capacidad de pensar y evaluar la situación objetivamente.

Si los celos se convierten en habituales o terminan en escenas más o menos violentas, lo más aconsejable es acudir a un profesional. Este puede ayudar a resolver el problema y lograr una mejor calidad de vida, para evitar incidentes que podrían ser lamentables.

Este hechizo tiene por objeto controlar los propios celos. Deberá iniciarse en sábado, dedicado a Saturno, y continuarse a lo largo de siete días.

## Elementos necesarios

Un trozo de estaño o plomo – Una cacerola vieja de metal – Una vela azul oscuro – Dos vasos de agua – Un cuchillo con punta (o un punzón) – Una botellita con aceite – Perfume que use la persona amada (o un poco de jabón o de la crema de afeitar que emplee) – Una caja – Arena.

## Ritual

- Poner la arena dentro de la caja y echar uno o dos vasos de agua para que se humedezca, procurando que no quede líquido en la superficie. A continuación, alisarla bien.
- Encender la vela con cerillas.
- Colocar el trozo de estaño o plomo dentro de la cacerola vieja y ponerla al fuego para que se funda el metal.
- Una vez fundido, con mucho cuidado de no quemarse, verterlo sobre la arena a fin de formar una placa y dejar enfriar.
- Echar en la botella de aceite unas gotas del perfume de la persona amada. Si no se pudiera conseguir, echar su crema de afeitar o su jabón. Tapar y agitar bien la botella.
- A lo largo de siete días, cada vez que los celos se hagan presentes, hacer una cruz en la placa de plomo con un punzón. Mojar los dedos en el aceite y pasárselo por ambas muñecas diciendo: «Los espíritus me protegen. Su libertad aumenta su amor por mi».
- Cuando haya transcurrido una semana, es decir al sábado siguiente al día de comienzo del ritual, tirar la placa de plomo a un pozo o a una corriente de agua.

## PARA COMBATIR LOS CELOS DE LA PAREJA

**44** Uno de los errores que cometen las personas cuya pareja es celosa es renunciar a su propia vida. Con tal de no despertar sospechas, dejan de lado sus amistades, sus aficiones, su libertad, creyendo, equivocadamente, que con eso podrán evitar los accesos de celos de sus compañeros. Lejos de conformarse con tal renuncia, quien padece de celos buscará cualquier motivo, por pueril que sea, para convertirlo en centro de sus sospechas y en prueba de la infidelidad de su amado. El objetivo de este hechizo es tranquilizar a la persona celosa aumentando su autoestima.

Aunque puede resultar halagador que la persona a quien se ama muestre inquietud ante un posible rival, convivir con un celoso puede ser un auténtico infierno.

Es natural que ante la aparición de los primeros síntomas de celos se den todo tipo de explicaciones a fin de demostrar que estos son injustificados; se considera que lo más importante es que reine la armonía y la confianza en la relación y que se debe brindar todo tipo de seguridad y tranquilidad a la persona amada. Pero quienes viven con una persona que padece este trastorno habrán comprobado que, por muchas explicaciones que se den, por mucho que se intente sosegar los celos del compañero, los accesos se vuelven cada vez más intensos y seguidos. Lo peor es que, actitudes que antes eran tomadas como normales (como podría ser saludar educadamente a una vecina) terminan siendo, para el celoso, «señales» de infidelidad, las pruebas que necesita para confirmar que está siendo engañado; porque ante la ausencia de muestras claras de infidelidad, el celoso utiliza cualquier elemento para poder desarrollar en torno a él su celotipia. Ceder a sus caprichos, encerrarse, evitar el contacto con quienes podrían despertar sus accesos, es un grave error que no soluciona nada ya que, en ausencia de estos elementos, el celoso buscará cualquier otro, por inocente que sea, para justificar unos sentimientos y una desconfianza que no tiene razón de ser. Más aún: podría decirse que cuanto más empeño ponga su compañero en no despertar sus celos, más suspicaz se pondrá; de manera que lo mejor es hacer una vida lo más normal y libre posible. Este hechizo tiene como fin atenuar los ataques de celos de la persona que se ama. Deberá realizarse en sábado.

## ELEMENTOS NECESARIOS

Papel y lápiz – Un cuenco – Dos tazas de harina – Una cucharadita de canela en polvo – Agua de azahar – Una vela roja – Medio vaso de agua.

## RITUAL

- Encender la vela roja con cerillas.
- Echar la harina en un cuenco, añadirle la canela y remover.
- Agregar a la harina medio vaso de agua y unas gotas de agua de azahar. Formar con ella una masa que no se pegue a los dedos. Si resultara muy pegajosa, añadir más harina.
- Escribir en un cuarto de folio las cualidades que más se admiran en la persona amada y doblarlo hasta dejarlo lo más pequeño posible.
- Introducir en medio de la masa el papel que se ha escrito, al tiempo que se dice: «Por todas estas cualidades quiero seguir amándote toda mi vida. No me lo pongas difícil».
- Dar a la masa forma de corazón y dejarla secar al aire libre. Una vez seca, enterrarla en suelo firme o en un tiesto.

## PARA ALEJAR POSIBLES RIVALES

**45** La atracción física o espiritual es algo muy difícil de controlar. Es posible hacerse propósitos al respecto, evitar las tentaciones, pero eso no significa que la imagen de quien despierta el deseo pueda ser fácilmente apartada de la cabeza. Si, además, dicha persona mantiene una actitud seductora, alejarse de ella resulta más difícil todavía. Este hechizo se hace para apartar a un rival amoroso, a quien amenace con convertirse en centro de atención para la persona amada.

Las relaciones de pareja se inician con la intención de permanecer juntos toda la vida. Aunque la gran cantidad de divorcios y separaciones hagan pensar que llega un momento en que el amor se acaba o que las parejas que se mantienen juntas lo hacen por sus hijos o por temor a enfrentarse a la soledad, cuando uno se enamora no concibe la idea de estar lejos de la persona amada, de renunciar a su compañía o a los proyectos en común.

Sostener una relación de convivencia impone sacrificios, esfuerzos y renuncias y la experiencia nos dice que es muy común que estos no sean aportados a partes iguales por sus miembros. No es raro ver que uno de ellos hace todo tipo de concesiones en tanto que el otro, guiado por su egoísmo, hace poco y nada por su compañero; se deja querer y, como tiene pruebas harto suficientes para deducir que la relación es muy importante para su amante, cada vez hace menos esfuerzos por cuidarla. Lo triste es que, cuando las cosas llegan a este punto, en lugar de sentir una mayor atracción y amor por esa persona que le hace la vida fácil, pierde

paulatinamente el interés. Lo que se obtiene gratuitamente, se valora poco; tanto el hombre como la mujer, desean lo que no tienen, lo que les cuesta conseguir por eso si la relación se establece bajo estos términos de desigualdad, es muy probable que quien menos ha aportado a ella busque emociones en una nueva conquista, en alguien que le ponga más trabas al acercamiento.

Hay muchas personas dispuestas a romper parejas; son seres que disfrutan compitiendo con sus iguales porque en esa competencia no tienen nada que perder y mucho que ganar (la persona conquistada, el halago de haber sido elegida, etc.). En ocasiones, se comportan de la manera más descarada posible porque saben que, con eso, alentarán las escenas de celos y las discusiones en el matrimonio, por ello, la mejor manera de enfrentarse a ellas es no perder jamás la calma ni mostrar el menor desasosiego. Con gestos y actitudes conviene hacerles saber que no se les considera un rival peligroso porque de esta forma, el juego ya no les resulta divertido y lo más probable es que vayan en busca de otra víctima. Otra recomendación importante es no recriminar nada a la propia pareja porque lo más normal es que esta no vea con claridad qué es lo que está sucediendo. Este hechizo tiene por objeto alejar un posible rival pero, para que surta efecto es imprescindible que no se alberguen sentimientos negativos hacia esa persona. El deseo debe estar dirigido a que encuentre la felicidad y el amor en quien esté libre. El ritual deberá hacerse en sábado.

## ELEMENTOS NECESARIOS

Un pomelo – Un vaso – Un limón – Papel y lápiz – Un frasco pequeño con aceite – Un alfiler con cabeza negra (se la puede pintar) – Una vela

negra y otra roja – Una rama de lavanda – Una rosa roja – Tres guindillas – Un cabello de la persona amada y uno propio – Un cuchillo – Un
paño negro.

## RITUAL

- Encender la vela negra.
- Escribir en cuatro tiras de papel el propio nombre, el del po-
sible rival y, en dos de ellos, el de la persona amada.
- Exprimir el pomelo en un vaso y reservarlo.
- Escribir en el limón con el alfiler el nombre de quien se con-
sidere un rival.
- Con el cuchillo, hacer un agujero en la parte superior del limón.
- Enrollar la tira de papel que contiene el nombre del rival y, separa-
damente, una de las que contienen el nombre de la persona amada.
- Poner ambas tiras dentro del limón y, a continuación, echar en el
agujero una cucharadita del jugo de pomelo al tiempo que se dice:
«Con ella sólo te espera la amargura».
- Echar poco a poco la cera de la vela negra en el limón hasta que este
quede sellado. Una vez hecho esto, apagarla y encender la vela roja.
- Poner en el frasco con aceite la lavanda (se puede cortar en trocitos).
- Añadir los pétalos de la rosa (no la flor entera), las tres guindillas y
los cabellos. Tapar el frasco y agitar el preparado pensando en la
persona amada al tiempo que se dice: «Que los siete poderes nos
guíen y mantengan unidos».
- Todos los días, al levantarse, mojar el dedo índice en el aceite y luego pasárselo por la planta de cada pie.
- El limón deberá guardarse, envuelto en un paño negro, en un lugar
donde nadie lo toque. Cuando el rival haya desaparecido, enterrarlo al aire libre o en un tiesto.

# PARA ACORTAR LA AUSENCIA

**46** La necesidad de vivir lejos de la persona amada genera una gran ansiedad y, en muchos casos, puede alimentar una serie de pensamientos negativos y generar inseguridades y celos. En estos casos, a la ausencia de ese ser a cuyo lado nos sentimos felices, se une la desesperación ante la posibilidad de perderlo, ante la idea de que conozca a otra persona que ponga en nuestro lugar. Este hechizo sirve para unir en el menor tiempo posible a dos amantes que están físicamente separados.

En la sociedad moderna las distancias no representan un grave problema para que dos amantes se comuniquen; la velocidad de los medios de transporte, los teléfonos o las redes informáticas, así como su bajo precio, permiten mantener diariamente un contacto verbal e, incluso, visual, a dos personas que estén a miles de kilómetros.

Cuando una pareja se ve obligada a pasar un tiempo alejada, se suscitan muchos interrogantes y pueden hacer acto de presencia los sentimientos negativos y, a menudo, surgen los celos y los malentendidos. El temor de que aparezca en la vida del otro una persona más interesante o atractiva, es relativamente frecuente de manera que muchas parejas que están en esta situación, deben hacer frente al desasosiego que eso les produce y que se suma a la nostalgia, a la sensación de vacío o falta que experimentan.

El presente hechizo tiene como fin reunir a dos personas que se aman y que, por razones de trabajo, de familia o por cualquier otro motivo se hayan visto obligadas a separarse. También es apto para ser realizado por quienes se han enamorado sin conocerse físicamente (ya sea por sesiones de chat, por teléfono o por cualquier otro medio). Deberá hacerse en miércoles, dedicado a Mercurio.

## ELEMENTOS NECESARIOS

Una foto de cada uno de los miembros de la pareja (o, en su defecto, su fotocopia o su nombre escrito en un papel) – Una varilla de incienso de almizcle o de rosa – Una vela roja – Una rama de canela – Cinco pétalos de rosa – Un recipiente metálico – Una taza con alcohol – Una cucharadita de azúcar – Papel de aluminio.

## RITUAL

- Encender con cerillas la vela roja; esperar a que se derrita parte de la cera y luego volcar esta sobre la propia foto o sobre el nombre.
- Inmediatamente, antes de que se solidifique, poner la otra foto o papel encima de manera que ambas queden cara a cara, diciendo: «Por el poder de Venus, sé que pronto estarás junto a mí».
- Echar los pétalos de rosa y la rama de canela en un recipiente metálico.
- Añadir sobre estos el alcohol de la taza y una cucharadita de azúcar.
- Encender el alcohol con una cerilla y, cuando empiece a arder, echar dentro la varilla de incienso.
- Acercar las fotos unidas al humo que se desprenda del recipiente metálico, sin que las llamas las alcancen.
- Una vez que el fuego se haya apagado, recoger los residuos sólidos que hayan quedado, ponerlos sobre un papel de aluminio, añadir las fotos y hacer un paquete. Enterrarlo al aire libre o en un tiesto.

# PARA MEJORAR EL DIÁLOGO

**47** Uno de los factores que con más frecuencia determinan la disolución de una pareja es la falta de diálogo o la comunicación insatisfactoria. Si desde los comienzos de la relación se establece la costumbre de explicar claramente los deseos, aspiraciones y molestias, se facilitará el conocimiento mutuo de los miembros de la pareja de manera que cada uno pueda dar a su compañero lo que este necesita. Este ritual tiene por objeto fomentar y mejorar el diálogo. Pueden hacerlo las dos personas involucradas en la relación o sólo una de ellas.

La introversión y la extroversión son características innatas. Hay quienes tienden a manifestar sin ningún tipo de reparos lo que piensan y lo que sienten, en tanto que a otros les resulta prácticamente imposible hacerlo.

Uno de los requisitos indispensables para que una relación de pareja se desarrolle y evolucione es que sus miembros tengan entre sí una comunicación fluida; que puedan hablar libremente de sus aspiraciones, de sus problemas o de aquellas cosas que le resultan molestas en su compañero. Sin embargo, hay quienes prefieren callar y esperar; que en lugar de pedir lo que desean o manifestar lo que no quieren, exigen a su pareja que lo adivine y responda en consecuencia.

Generalmente se trata de personas muy cerradas, a las que no les cabe en la cabeza que pueda haber puntos de vista diferentes del suyo. Piensan que las cosas son o deben ser tal y como las imaginan, de ahí que muchas veces acusen a sus parejas de egoísmo en caso de que estas no cumplan con sus expectativas. No comprenden que es muchísimo más fácil pedir lo que se desea en lugar de pensar que la otra persona «sabe lo que tiene que hacer». En muchos casos, manifiestan su disconformidad con malas caras o poniendo distancia y, de este modo, obligan a su pareja a hacer grandes esfuerzos a fin de obtener su perdón.

Aunque esta conducta es a veces inconsciente, en otras se trata de una manipulación que tiene por objeto hacer sentir culpable a la persona amada; hacerle creer que no es lo suficientemente buena e infundirle el temor de que la relación se termine. En estos casos, lo más aconsejable es no seguir su juego y, aunque tome distancia o ponga malas caras, hacer como si nada estuviera pasando. Con esto se le obligará a manifestar claramente qué es lo que le molesta.

El diálogo entre los miembros de una relación debe estar asentado en la confianza mutua; no se trata de dar solemnidad al hecho de hablar de los problemas sino de explicarlos con la mayor claridad posible en la medida en que surgen. Si cada uno calla lo que le molesta de su compañero o hace largos discursos para explicarlo, es señal de que el diálogo no es fluido ni respetuoso. No es imprescindible estar siempre de acuerdo; cada uno puede tener sus propias ideas pero lo importante es no descalificar ni desoír los puntos de vista de la pareja. El diálogo sirve para conocerse mutuamente y para dar a la persona que se ha elegido no aquellas cosas que le gustaría recibir a uno mismo, sino aquellas que son importantes para ella.

Este hechizo tiene por objeto mejorar la comunicación en la relación. Pueden llevarlo a cabo, conjuntamente, los dos miembros de la pareja o hacerlo sólo uno de ellos. El mejor día para realizarlo es el miércoles.

## ELEMENTOS NECESARIOS

Papel y lápiz – Una cazuela con agua – Un puñado de hojas de roble (pueden ser secas) – Una cucharada de azúcar – Una vela verde – Una vara de incienso de canela – Tijeras.

## RITUAL

- Escribir en un papel dos listas: una en la que se detalle todo lo que se espera del compañero y otra en la que se describan las cosas de él que resultan molestas. Si el ritual es efectuado por ambos miembros de la pareja, ambos deberán hacerlo.
- Recortar con las tijeras el papel sobrante, de modo que sólo queden ambas listas, ocupando el menor espacio posible.
- Poner al fuego una cazuela con agua y echar en ella las hojas de roble y la cucharada de azúcar.
- Romper el papel con las listas en la mayor cantidad de trozos posible y echarlo dentro de la cazuela. Encender el fuego y dejar la preparación hirviendo durante cinco minutos.
- Una vez enfriado, encender la vela y el incienso.
- Meter los dedos índice y medio de la mano derecha en la pócima para mojarlos y trazar con ellos un círculo alrededor de la boca. Volver a introducir los dedos en el líquido y mojarse la oreja izquierda (no introducir la mezcla dentro del oído). Luego, hacer lo mismo con la oreja derecha. Si el hechizo es realizado por dos personas, ambas deberán cumplir con este paso.
- Colar el líquido restante y echárselo sobre los pies al tiempo que se dice: «Ya no habrá más secretos».

## PARA POTENCIAR SU DOCILIDAD

**48** El exceso de seguridad en uno mismo puede desembocar en cabezonería. Hay personas que tienen tanta fe en sus creencias o en sus opiniones que estiman que no deben perder el tiempo intentando comprender las de los demás, porque lo más probable es que sean equivocadas. No lo hacen con mala intención sino, en ocasiones, movidas por el ánimo de proteger y enseñar a quienes están en su entorno. Este hechizo tiene por objeto potenciar la docilidad de la persona amada, hacerle más tolerante y abierto.

Estar junto a una persona segura de sí misma tiene múltiples ventajas: sabe muy bien lo que quiere, se responsabiliza plenamente de sus acciones, acepta tanto sus éxitos como sus fracasos, toma la iniciativa, no culpa a los demás de sus problemas, etc. Sin embargo, si esa seguridad es tán sólida que no deja lugar a la duda, que no admite la menor crítica, se convierte en un problema tanto para sí misma como para quienes tienen que convivir con ella.

Hay seres tremendamente obcecados que muestran una gran dificultad a la hora de evaluar cualquier situación desde otros puntos de vista ajenos al propio; se sienten dueños absolutos de la razón y de la lógica y no hacen el menor esfuerzo por comprender a los demás. Aunque en muchos casos es el egoísmo lo que está en la base de este comportamiento, otros actúan así por un exceso de vitalidad, por un entusiasmo desmedido a la hora de acometer cualquier tarea o por la pereza que sienten cuando deben iniciar una nueva cadena de razonamientos a fin de entender las conclusiones ajenas. También hay personas que tienen una par-

ticular alergia a los cambios; que su mayor anhelo es que su vida transcurra exactamente igual que lo ha hecho hasta el presente y por ello se niegan rotundamente a introducir modificaciones, tanto en sus relaciones como en sus costumbres. Este ritual está destinado a potenciar la docilidad de una persona obcecada; a fomentar su apertura mental y su tolerancia. Deberá llevarse a cabo en día jueves.

## ELEMENTOS NECESARIOS

Una copa de aceite – Una cazuela pequeña – Una taza pequeña de pétalos de rosa – Una cucharadita de tila – Una cucharadita de romero – Un vaso de vino – Un trozo de cinta blanca, de unos 20 cm.

## RITUAL

- Poner un vaso de vino (preferiblemente tinto) en una cazuela pequeña.
- Añadirle los pétalos de rosa, la tila y el romero y encender el fuego.
- Dejar que hierva por espacio de cinco minutos.
- Colar la preparación y mezclarla con una copa de aceite.
- Introducir la cinta dentro de la mezcla al tiempo que se dice: «Por tus sueños vendrá la inspiración; por tu corazón llegará la sabiduría».
- Sacar la cinta del preparado y dejarla secar al sereno durante toda la noche.
- Verter el líquido preparado sobre tierra (puede ser dentro de un tiesto o al aire libre).
- A la mañana siguiente, cuando ya esté seca, atarla una de las patas de la cama adyacentes al cabecero, donde duerma la persona cuya docilidad se desea potenciar. Si no fuera posible porque el colchón está sobre una estructura de madera compacta, ponerla debajo del colchón.

## PARA RECLAMARLE MÁS ATENCIÓN

**49** La forma en que se presta atención a la pareja, a veces no es la misma en ambos miembros. Por lo general uno de ellos tiene una vida más activa que el otro: sale con amigos, practica deportes, pasa muchas horas en el ordenador o hace cualquier tipo de actividad en la cual su pareja no participa. Cuando esto sucede, su compañero puede sentir que no le presta la debida atención y empieza a albergar el temor de que el vínculo se rompa. Este hechizo tiene como fin tranquilizar estos temores y lograr una mayor comunicación con la persona amada.

El amor presenta muchas caras diferentes y, aunque cada persona lo experimenta a su modo, la fase de enamoramiento con la que se inicia toda relación de pareja suele tener características comunes.

Además de la intensa emoción que acompaña ese período, se experimenta la urgencia de comunicarse a todas horas con la persona amada, ya sea físicamente o mediante llamadas telefónicas o cartas; ella se instala en el centro de la conciencia y su presencia obliga a tomar distancia con algunas de las ocupaciones habituales (salidas con amigos, aficiones, deportes, etc.). Para cada miembro de la pareja lo importante es afianzar los lazos y garantizar la supervivencia de la relación, por esta razón se deja de lado, momentáneamente, todo lo demás.

Gracias a la psicología, hoy sabemos que este comportamiento es instintivo y está regulado por una serie de hormonas, pero por ello no deja de ser un impulso irresistible.

Una vez que la relación se consolida los amantes vuelven paulatinamente a sus ocupaciones habituales, a sus aficiones, al contacto con sus amigos ya que el amor que experimentan hacia su compañero es menos compulsivo pero más sólido y tranquilo. Pero cuando uno de los miembros inicia esta nueva etapa de la relación antes que su compañero, se presentan problemas ya que este se siente abandonado, infravalorado y privado de esa presencia que tanto necesita. Percibe que los encuentros ya no son a todas horas; que las llamadas telefónicas se hacen menos frecuentes y que hay actividades que no se comparten con él sino con amigos o con la familia. Si este proceso se comprende claramente, la situación se soluciona en muy poco tiempo pero si la persona enamorada cae en el temor de que la relación se esté deteriorando, lo más probable es que desarrolle una gran dependencia emocional basada en la idea de que no es lo suficientemente importante para su pareja.

Este hechizo tiene por objeto reclamar una mayor atención a la persona amada y, a la vez, calmar la ansiedad que pueda producir su natural alejamiento. El ritual deberá realizarse en viernes, día dedicado a Venus.

## ELEMENTOS NECESARIOS

Una piedra pequeña blanca y otra negra – Una vela rosa – Papel y lápiz – Cinco semillas de anís – Dos tazas de harina – Cinco granos de pimienta – Tres cucharadas de azúcar – Un trozo de hilo de cobre – Cinco cuentas de colores: una blanca, otra amarilla, otra roja, otra azul y otra verde – Una olla con agua.

RITUAL

- Poner la olla con agua al fuego y añadirle el anís, la pimienta y el azúcar.
- Cuando rompa el hervor, dejarla a fuego lento durante cinco minutos. Apagar el fuego y esperar a que se enfríe.
- Encender la vela con cerillas.

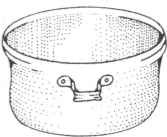

- Poner en un cuenco las dos tazas de harina y añadir, poco a poco, parte de la infusión que se ha preparado hasta formar una masa que no se pegue a los dedos. Lo importante es no echar demasiado líquido de golpe sino sólo lo suficiente para mezclar la harina.
- Escribir en un papel el propio nombre y el de la persona amada. Encerrar ambos nombres en un círculo y doblar el papel de manera que quede lo más pequeño posible.
- Introducir el papel dentro de la masa diciendo: «Nuestros corazones están unidos aunque estés ausente». Hacer una bola con la masa y dejarla junto a la vela.
- Enhebrar las cinco cuentas en el hilo de cobre y cerrar este de modo que forme un círculo, con un diámetro algo mayor que el de la bola de masa. Dejarlo también junto a la vela.
- Una vez que la vela se haya consumido, poner la bola al aire libre y en el centro del collar de cuentas.
- Cuando la bola esté completamente seca, guardarla junto con el collar en un lugar donde nadie la toque.

# PARA QUE ACEPTE TU VIDA ANTERIOR

**50** La forma de ser de cada persona no está dada sólo por la educación recibida sino, también, por las experiencias buenas y malas que haya acumulado a lo largo de los años. Los errores cometidos en el pasado a veces constituyen una lección imborrable que permite el surgimiento de una personalidad fuerte y proporcionan un conocimiento profundo del mundo y de la sociedad; por eso renegar de ellos o condenarlos a la ligera, es un grave error. Este hechizo tiene por objeto hacer que la pareja acepte la vida anterior que haya podido llevarse o que no experimente celos por las relaciones que hayan surgido en el pasado.

Cuando se ama a una persona es común que en alguna ocasión se experimenten celos ya que estos pueden nacer del temor de perderla o de no ser lo suficientemente atractivo o bueno como para recibir su permanente atención. Normalmente se presentan en los períodos de baja estima personal y no suelen causar más que una sensación molesta que desaparece rápidamente. Algo diferente es la celotipia, un trastorno psicológico que se caracteriza por la enfermiza sensación de ser engañado o por el temor agudo a ser abandonado.

Es necesario tener en cuenta que si alguien nos gusta o atrae lo suficiente como para crear un vínculo sólido es porque, gracias a la vida que ha llevado, buena o mala, presenta rasgos en su personalidad que nos fascinan; por ello, renegar de todo lo que haya podido experimentar, aun cuando hubieran sido situaciones poco honrosas, es un grave error que sólo conduce al fracaso de la pareja. Es bastante frecuente que el pasado de la persona amada, sobre todo si ella se avergüenza de él, sea utilizado como herramienta de afirmación personal o de demostración de amor. Es como si se dijera: «A pesar de lo que has sido, yo te quiero». Este tipo de ideas reflejan que quien las tiene, lejos de haber aceptado la vida anterior de su pareja la tiene presente y la censura, lo cual tampoco es bueno para el vínculo.

El hechizo que se explica a continuación tiene como fin lograr que la persona amada acepte la forma de vida que se haya podido llevar antes de conocerle, independientemente de lo difícil o sórdida que haya podido ser. Es útil para quienes han tenido varias experiencias amorosas y en el presente formen pareja con una persona celosa.

### ELEMENTOS NECESARIOS

Una vela negra – Un folio – Un lápiz – Un objeto que se conserve desde una época anterior a la relación (puede ser, por ejemplo, un botón; un trocito de papel sacado de un cuaderno; la esquina de un sobre que se haya recibido, etc.) – Un vaso de alcohol – Un plato o cuenco metálico que soporte el calor.

### RITUAL

- Encender la vela con cerillas.
- Escribir en el folio aquellos detalles de la vida anterior que puedan molestar a la pareja o con los cuales uno mismo desee reconciliarse.
- Poner en el centro del papel el objeto que se haya elegido.
- Envolver el objeto y hacer un paquete, poner este en el cuenco metálico, echarle el alcohol y prenderlo fuego mientras se dice: «Que el poder del fuego que destruye mi historia en este papel, alimente en tu corazón la fe y la esperanza en nuestra relación».

## PARA SER ACEPTADO POR SU FAMILIA

**51** Los padres siempre quieren lo mejor para sus hijos y, equivocadamente, a veces se comportan como jueces implacables a la hora de aceptar a la persona que ellos hayan elegido para formar una familia. Las razones que les impulsan a ello son muy variadas y, en ocasiones, lógicas y comprensibles, pero su oposición sólo sirve para causar un gran dolor a quien desean proteger. Este hechizo tiene por objeto ser aceptado por la familia de la pareja y deberá realizarlo la persona que se sienta rechazada.

La mayoría de los padres aceptan sin problemas las parejas de sus hijos; cuando piensan en su futuro, sueñan con que fundarán una familia sólida con una buena persona y que, con el tiempo, les darán nietos. No suele entrar dentro de sus cálculos la posibilidad de que se enamoren de alguien que haya pasado por un divorcio y, menos aún, que tenga hijos de una unión anterior y cuando esto sucede, no siempre aceptan que la relación siga adelante.

Las razones que lleven a unos padres a mantener una relación problemática con las personas escogidas por sus hijos son muy variadas: diferencia de clase social o de etnia, divorcios anteriores, supuestos defectos, dificultades a la hora de aceptar la homosexualidad del hijo o, sencillamente, celos. Al principio pueden mostrarse falsamente contentos o discretamente contrarios al vínculo con la esperanza de que se trate de un amor pasajero, pero si la pareja desea formalizar la relación mediante una boda, el trato hacia su futuro yerno o nuera puede resultar abiertamente hostil. Hay padres que obligan a sus hijos a elegir entre su futuro cónyuge y ellos, que amenazan con distanciarse en caso de que la relación siga adelante. Otros, más sutiles, aparentan aceptar la realidad cuando el hijo está presente pero no dejan pasar la oportunidad de humillar a sus espaldas a la persona que este ha elegido. Este hechizo tiene como fin conseguir la aceptación por parte de la familia de la pareja; es útil para todos los que se sientan rechazados por los padres o hermanos de la persona amada. Debe realizarse en día jueves, dedicado a Júpiter.

## ELEMENTOS NECESARIOS

Una cabeza de ajos – Una aguja – Un cordón fino, azul – Una vela blanca – Una cucharada de garbanzos secos, otra de lentejas y una tercera de alubias – Un tiesto con tierra – Un trozo de papel de aluminio – Un platito – Un vaso pequeño.

## RITUAL

- Forrar el vaso pequeño con papel de aluminio.
- Encender la vela blanca, con cerillas, dejar caer unas gotas de cera dentro del vaso para poder pegar la vela en él. Colocar el vaso en el centro de un plato.
- Añadir al plato los garbanzos, las lentejas y las judías, mezclándolas con la mano izquierda.
- Poner la tierra en un tiesto hasta unos cinco centímetros del borde.
- Sacar los dientes de la cabeza de ajo y separarlos en dos mitades (si el número es impar, poner el diente que sobre en el platito).
- Ensartar los dientes de ajo de uno de los montones en el cordón (puede hacerse con ayuda de la aguja) y luego ensartar la nuez. Terminar la operación ensartando los del otro montón.

- Cuando la vela se haya consumido, echar las legumbres en el tiesto al tiempo que se dice: «La tierra no hace distinción entre sus hijos. Hago esta ofrenda para que su poder me ayude a conquistar el corazón de la familia de (nombre de la pareja)». Cubrir las semillas con un dedo de tierra.
- Esconder el collar de ajos en la casa de un familiar de la persona amada (puede ser en un rincón del edificio donde viva).
- Echar un poco de agua en el tiesto donde se han enterrado las semillas.

## PARA QUE OLVIDE ANTIGUOS AGRAVIOS

**52** Hay quienes, para justificar los errores que cometen en el presente o para demostrar que no son los únicos que hacen las cosas mal, no dudan en sacar a relucir las faltas que, años atrás, pudo haber cometido su pareja. Este tipo de situaciones es más frecuente en relaciones que han tenido dificultades en los comienzos debido a la indecisión o falta de entusiasmo de uno de ellos. Este ritual tiene por objeto hacer que la pareja olvide antiguos agravios.

Hay parejas que, en sus comienzos, tienen muchos tropiezos pero, que aun así, logran sobrevivir. En los inicios, el vínculo se mantiene a duras penas ya sea porque uno de ellos no está seguro de sus sentimientos, porque siente miedo a comprometerse, porque aún no ha cerrado definitivamente la relación anterior o por cualquier otra razón; el caso es que durante ese período, el compañero se ve obligado a hacer grandes esfuerzos y concesiones para que la pareja salga adelante, para infundir valor y entusiasmo en la persona amada. Lógicamente lo pasa mal, porque en lugar de disfrutar de las delicias del amor, debe luchar a brazo partido para que este prospere y combatir en su mente el fantasma del abandono.

Cuando la relación cobra fuerzas, muchos olvidan los malos momentos vividos en sus inicios pero otros, sintiéndose fuertes, no dudan en traerlos al presente cada vez que surge el más mínimo desencuentro.

Este ritual tiene por objeto conseguir que la persona amada entierre definitivamente los antiguos agravios; que deje de

lado todo el rencor que haya podido acumular y comprenda que la pareja se encuentra en otra etapa. Deberá hacerse en día sábado, por la noche.

## ELEMENTOS NECESARIOS

Una cinta negra de unos 20 cm de largo – Un tiesto vacío – Un garbanzo – Un rotulador negro, de punta fina – Tierra para llenar el tiesto – Papel y lápiz – Una vela blanca – Una piedra pequeña, negra – Tijeras.

## RITUAL

- Encender la vela con cerillas y, cuando la cera se derrita, echar en el fondo del tiesto y alrededor del agujero, nueve gotas.
- Escribir en un papel los agravios que la pareja echa en cara con mayor frecuencia y recortar el papel sobrante.
- Romper la lista que se ha hecho con las manos, en la mayor cantidad de trozos posible, y mezclar éstos con la tierra que llenará el tiesto al tiempo que se dice: «Que la tierra absorba su rencor».
- Tapar el agujero del tiesto con la piedra y llenar sus tres cuartas partes con tierra.
- Escribir en el garbanzo el año actual.
- Hacer en la cinta nueve nudos y luego formar con ella un círculo. Ponerlo sobre la tierra del tiesto, y colocar el garbanzo en el centro.
- Terminar de llenar el tiesto con la tierra restante, sin remover su contenido y añadir tres vasos de agua.
- Regar todos los días.

## PARA QUE VUELVA A CONFIAR EN TI

# 53

La confianza mutua es uno de los puntales de toda relación amorosa; si esta se pierde o no es lo suficientemente sólida, el vínculo pierde gran parte de su interés y perspectivas de futuro. En ocasiones, es necesario tener mucho valor para decir la verdad; sobre todo si se es consciente de que, con ello, se hará sufrir a la persona amada. Aun así, es preferible eso a la mentira ya que esta destruiría una de las bases más importantes del vínculo. Este hechizo tiene como fin devolver la confianza de la persona amada en su compañero.

Una de las bases principales sobre la que se asienta toda relación de pareja es la confianza, la certeza de que la persona amada será capaz de renunciar a sus impulsos egoístas si, en caso de seguirlos, provoquen un dolor a su compañero. Pero el ser humano a menudo es débil y se deja arrastrar por las tentaciones y en un momento de entusiasmo u ofuscación puede llevar a cabo actos que a su pareja le resulten imperdonables.

Lo más habitual es que cuando se cometen deslices, a menos que estos sean graves, en un breve espacio de tiempo y tras algunas discusiones o enfados, la calma vuelva a reinar en la pareja; sin embargo si se trata de actos que se repiten constantemente a pesar del compromiso de no volver a cometerlos jamás, llega un momento en que la confianza se quiebra por completo y la ruptura aparece como la mejor solución posible.

Para que esto suceda no es necesario cometer grandes errores sino, más bien, desatender las necesidades de la persona amada. Por lo general son las pequeñas diferencias que se suscitan en la convivencia las que deterioran poco a poco la relación haciendo perder la esperanza de que algún día las cosas cambien: escenas de celos, tendencia a controlar, mentiras tontas, etc., que, si se presentan una vez, no revisten mayor importancia pero que si son continuas terminan por causar estragos.

Este ritual tiene por objeto restablecer la confianza, lograr que la persona amada crea posible un cambio en alguna actitud negativa y da fuerzas a quien comete el error a fin de que pueda evitarlo. Es condición indispensable para consiga el resultado buscado que la persona que cometa el error esté convencida de que ha obrado mal; que piense que su compañero tiene buenas razones para desconfiar de ella. El ritual debe comenzarse en día sábado, dedicado a Saturno.

## ELEMENTOS NECESARIOS

Una vela negra y otra blanca – Siete alfileres – Una cinta o cordón blanco – Una cucharadita de sal – Una cucharadita de azúcar – Una vara de incienso de sándalo.

## RITUAL

- Hacer en la vela negra seis marcas de manera que esta quede dividida en siete partes iguales.
- Clavar en cada una de las marcas un alfiler (para que entre mejor en la vela, se puede calentar un poco la punta).
- En sábado, encender la vela al tiempo que se dice: «Así como se consume esta vela, se disipen las consecuencias de mis errores».

- Cuando la vela se consuma hasta llegar al primer alfiler, mojarse los dedos índice y pulgar con saliva y presionar el pabilo para que se apague.

- En los días subsiguientes (de domingo a viernes), quemar del mismo modo uno de los trozos de la vela, repitiendo las mismas palabras.

- Después de quemar la última parte, es decir en viernes, encender la vela blanca y el incienso.

- Coger un pellizco de sal con la mano derecha y tirarla hacia atrás sobre el hombro izquierdo diciendo: «Que se alejen de mí las tentaciones».

- Coger un pellizco de azúcar con la mano izquierda, tirarla hacia atrás sobre el hombro derecho diciendo: «Pido fuerzas y protección para obrar bien».

- Pasar el cordón por el humo del incienso encendido y atárselo a la muñeca izquierda, haciendo cinco nudos. Dejarlo en ella hasta que se desgaste y se caiga.

## PARA SUPERAR UNA CRISIS DE PAREJA

**54** Las crisis de pareja, aunque son dolorosas y difíciles de asimilar, permiten un mayor conocimiento del compañero, resolver problemas que han sido evitados durante mucho tiempo y establecer nuevos pactos en la relación. Gracias a la sacudida que producen, permiten ver con claridad qué cosas merecen ser cambiadas o desechadas y cuáles son los aspectos que han quedado bloqueados o estancados. Este hechizo tiene por objeto superar positivamente una crisis de pareja. Pueden hacerlo los dos miembros de la relación o sólo uno de ellos.

Las crisis de pareja son trastornos temporales en los cuales los miembros de una relación no pueden resolver las situaciones de conflicto que se presentan utilizando las herramientas acostumbradas. Cuando hay una verdadera crisis en la relación, no basta un beso, una caricia o un regalo para cambiar el estado de ánimo del compañero o para propiciar el acercamiento; más bien se tiene la sensación de que todo lo que se hace es interpretado equivocadamente por la persona amada y se tiene el convencimiento de que se ha producido un estancamiento, una situación sin salida.

Los expertos, contrariamente a lo que piensa la mayoría de la gente, estiman que las crisis son sumamente productivas, siempre y cuando se sepa capitalizarlas. Son momentos en los cuales se ponen en evidencia y en primer plano desavenencias y conflictos que, durante mucho tiempo, han sido ocultados con el propósito de evitar situaciones tensas. Una crisis puede servir como revulsivo para una pareja que haya caído en la rutina, para los que han preferido callar todo lo molesto con tal de no tener que enfrentarse ello.

Es cierto que durante la crisis ambos miembros lo pasan muy mal porque temen por su futuro en común y se desesperan pensando cómo resolverla; pero también es verdad que si el amor que sienten el uno por el otro es profundo, iniciarán una nueva forma de diálogo, áspera al principio pero sincera y enriquecedora a medida que la crisis se vaya resolviendo.

Aunque parezca mentira, sin crisis no hay avance ni crecimiento; prueba de ello es que los psicólogos hablan de las crisis que se viven a diferentes edades, de las cuales, tanto el niño como el hombre, salen más maduros y fortalecidos.

Imaginemos por un momento un matrimonio que lleva años de casados: es probable que, en el inicio de la relación, ambos hayan estado de acuerdo en que uno de ellos no trabajaría sino que se quedaría al cuidado de la casa y de los niños. A medida que el tiempo pasa, también es posible que esa persona sienta la necesidad de tener un mayor contacto con el mundo exterior, que ansíe conseguir un empleo donde poder desarrollarse profesionalmente, y se lo plantee a su pareja. Cuando esta conozca sus deseos, bien puede recordarle lo convenido años atrás ya que la propuesta implica una serie de cambios en la vida familiar y, con ello, una sacudida a sus costumbres; la necesidad de adaptarse a una nueva realidad, sobre todo si no es uno mismo quien la promueve, suele no ser muy bien recibida de modo que es muy probable que se susciten discusiones y desencuentros. Si con la mejor buena voluntad, la persona que inicia el cambio se echa atrás para no provocar alteraciones en su entorno, lo más seguro es que, tarde o temprano, su frustración contamine el núcleo familiar y la crisis que se ha querido evitar se presente con mayor virulencia; hay que tener en cuenta que estos períodos de conflicto indican que bajo la superficie hay trastornos no

resueltos que, si se posponen, aparecerán con mayor grave-
dad. Las crisis exigen cambios, de manera que si ambos están
dispuestos a realizarlos, pueden ser superadas. También requieren negociaciones, nuevos pactos y estos podrán hacerse
si se tienen en cuenta no sólo las propias necesidades sino, también, las de la persona amada. Lo importante es hablar con claridad y sinceridad sin ver a la pareja como a un enemigo y entender que cuando el momento haya podido superarse, se
entrará en una etapa mucho más plena y feliz que la anterior.

## ELEMENTOS NECESARIOS

Un frasco con tapa – Una taza de vino blanco – Una taza de aceite – Un
vara de incienso de jazmín – Papel y lápiz – Un cuentagotas.

## RITUAL

- Encender con cerillas el incienso de jazmín.
- Echar el vino blanco en el frasco (mejor si es de boca pequeña).
- Escribir en un papel los errores que se hayan cometido en la relación de pareja; desde los más leves hasta los más graves. Hacer para
ello un buen examen de conciencia.
- Cuando se haya terminado la lista, coger aceite con el cuentagotas
y echar una gota de aceite en el vino del frasco por cada uno de los
errores que se hayan escrito en el papel.
- Terminada la operación anterior, cerrar el frasco y agitarlo fuertemente.
- Dejarlo en un lugar a oscuras, donde nadie lo toque.
- Cuando la crisis haya sido superada, enterrar el frasco al aire libre
o en un tiesto.

## PARA EVITAR UNA RUPTURA

**55** La amenaza de ruptura, sea tácita o explícita, suele sumir a uno de los miembros de la pareja en una gran angustia. La desesperación le lleva a intentarlo todo con tal de retener a la persona amada pero con ello, por lo general, sólo consigue que esta se sienta más agobiada y culpable, y quiera tomar distancia lo más pronto posible. Este hechizo sirve para evitar el fin de una relación. Sólo funcionará si ambos están destinados el uno para el otro. En caso contrario, acelerará la ruptura y propiciará la aparición de una persona más adecuada para el oficiante.

El período que antecede a una ruptura amorosa es muy angustioso; sobre todo en caso de que sea la otra persona quien decida dar por terminado el vínculo. Los primeros síntomas de alejamiento pueden pasar desapercibidos pero, con el tiempo, se toma conciencia de que las cosas han cambiado, que las demostraciones de afecto han disminuido al igual que el diálogo, que los encuentros sexuales son más fríos y, en general, que la persona amada no muestra el mismo interés que en la etapa anterior. Lo peor que puede hacerse en este caso son las recriminaciones y las exigencias; con ellas sólo se conseguirá crear un clima de guerra que empujará a la otra persona a tomar una decisión que, posiblemente, estuviera intentando evitar con todas sus fuerzas. Lo más aconsejable es preguntar cuáles son las propias cosas que resultan molestas, qué es lo que se echa en falta o qué cosas deberían ser corregidas; no con ánimos de discutir o justificarse sino para tener conciencia de lo que, por parte propia, está fallando.

Es indispensable no perder la calma y no caer en la tentación de observar todos y cada uno de los movimientos del compañero con el fin de comprobar hasta qué punto la relación está deteriorada; esta actitud no es natural y puede ser malinterpretada o resultar agobiante. Este hechizo tiene el objetivo de evitar una ruptura que parece inminente. Si la pareja se puede aún salvar, funcionará; pero también debe tenerse en cuenta que, en ocasiones, es preferible dejar una relación dolorosa que continuar en ella por miedo a un futuro incierto. El ritual debe efectuarse en viernes y por la noche.

## ELEMENTOS NECESARIOS

Una cucharada de tomillo y otra de romero – Unas hojas de laurel – Cinco rosas – Un limón – Una vela blanca – Una cinta roja – Un limón – Una caja de chinchetas – Una olla con un litro de agua, aproximadamente.

## RITUAL

- Cortar los cabos a las rosas y poner las flores en la olla con agua.
- Añadir el tomillo, el romero y el laurel, y ponerla al fuego. Cuando rompa el hervor, dejarla cinco minutos a fuego lento y luego apagar el fogón.
- Encender una vela blanca en el baño y darse una ducha o baño de inmersión. Una vez terminado y antes de secarse el cuerpo, echarse sobre los pies el contenido de la olla previamente colado y enfriado diciendo: «Que esta agua aclare las tinieblas de mi alma y me dé la fuerza que necesito».
- A continuación, rodear el limón con la cinta roja y clavar sobre esta la mayor cantidad de chinchetas posibles mientras se dice: «Que este dolor dé paso a mi felicidad». Esta operación deberá hacerse junto a la vela.
- Guardar el limón en un lugar oscuro, donde nadie pueda tocarlo.

## HECHIZO DE RECONCILIACIÓN

**56** Son muy excepcionales las parejas que llevan mucho tiempo juntas y que jamás han tenido una ruptura. Por lo general, a lo largo de la vida en relación se producen situaciones de desencuentro que llevan a que uno o ambos opten, en un momento de enfado, por poner fin al vínculo. Pasado un breve tiempo, comprenden que lo que les une tiene más peso que lo que les separa y deciden de mutuo acuerdo darse otra oportunidad. Este hechizo se realiza con el fin de propiciar una reconciliación, pero antes de llevarlo a cabo es necesario prepararse mentalmente para aceptar los propios errores y disponerse a corregirlos.

A lo largo de la vida de una pareja hay, por lo general, muchos momentos en los cuales, debido a las crisis que se suscitan con la convivencia o a malos entendidos, ambos o uno de los miembros deciden poner fin al vínculo. A menos que los motivos que le lleven a ello sean graves, lo más común es que, pasado el momento de enfado, se produzca una reconciliación, se perdonen las ofensas recibidas y se hagan propósitos de cambio.

Para que una reconciliación tenga sentido es necesario que cada uno de los miembros reconozca su participación en los hechos que llevaron a la ruptura. Es cierto que a veces las faltas de uno de ellos puede parecer, a simple vista, más imperdonable que los pequeños errores que pueda haber cometido el otro, pero esa es casi siempre una señal de que quien la comete no obtiene de la relación y de su pareja todo lo que espera. No es cuestión de hacerle el único responsable de lo sucedido sino de entender que la pareja se construye entre dos personas; que si no se explicitan las necesidades, es posible que el vínculo se deteriore aunque el afecto entre ambos siga tan firme como en los primeros tiempos.

A la hora de plantear la continuación de la pareja, también es importante que, en lugar de echarse cosas en cara, cada uno reconozca ante el otro las equivocaciones que haya podido cometer y que pregunte abiertamente cuáles son las conductas que, a juicio de su compañero, debe corregir. Sólo sobre esta base se puede construir una vida en común sin rencores ni reproches.

Este hechizo tiene por objeto propiciar una reconciliación de pareja; puede efectuarla tanto un hombre como una mujer, pero siempre con la intención de pedir que el reencuentro se produzca sólo si en el vínculo ambos encontrarán la felicidad. Si no fuera así, lo mejor es que se acelere el período de asimilación de la ruptura y se facilite la llegada de un nuevo amor. Es recomendable hacerlo en día jueves.

## ELEMENTOS NECESARIOS

Una moneda plateada que tenga en una de sus caras una figura del mismo sexo que el oficiante y otra, que tenga una figura del mismo sexo que la persona con la que se quiere reconciliar – Un paño azul, de 25 x 25 cm – Un hueso de aguacate – Un trozo de hilo de cobre de 20 cm – Una vela rosa – Una cucharadita de miel.

RITUAL

- Encender la vela con cerillas.
- Separar el hueso en dos mitades (si se pela prime-ro, se verán las dos partes que lo forman).
- Untar la moneda que represente a la pareja con miel, por la cara que contenga el rostro.
- Poner la otra moneda encima de esta, de forma que las caras queden mirándose entre sí, al tiempo que se dice, con convicción: «Quiero corregir mis fallos y ha-certe feliz. Para ello pido que los Seres Superiores me iluminen».

- Poner las dos monedas sobre una de las mitades del hueso de aguacate y colocar el otro encima, en la misma posición que es-taba antes de ser separado.
- Atar con hilo de cobre ambas mitades de forma que las monedas que-den dentro. Hacer un nudo al hilo y echar sobre este tres gotas de la cera de la vela.
- Envolver el hueso así preparado en un paño azul y dejarlo en un cruce de calles o caminos.

## PARA DESENAMORARSE

**57** El proceso de desenamoramiento, de aceptación de una ruptura o el que sigue a la comprensión de no ser correspondido, es largo y doloroso. Lo más importante es superar la situación, día a día, ir descubriendo pequeñas cosas en las cuales volcar el interés y no encerrarse en la angustia y los recuerdos. No sirve de nada mantener vivas las esperanzas de reconciliación ya que, con eso, lo único que se consigue es dilatar el proceso. Este hechizo tiene por objeto cambiar el tipo de sentimientos que se experimentan hacia la persona amada, quitarle el lugar preferencial que ocupa en el corazón.

Antes de que se produzca una ruptura de pareja, uno o ambos miembros de la relación pasan por una etapa de deterioro que resulta especialmente dolorosa. A menos que se traten de personas especialmente negadoras, que huyan de la realidad y no se atrevan a enfrentarse con los problemas, perciben las señales de la crisis: alejamiento de la persona amada, falta de diálogo, discusiones, etc. y, con ellas, el temor a un futuro incierto, les sume en una gran angustia.

Cuando se produce la ruptura, para algunos es tan grande el dolor que olvidan completamente el sufrimiento por el que han tenido que pasar en el último período; sólo recuerdan los momentos felices de los comienzos, las buenas cualidades de su pareja. Su máxima aspiración es la reconciliación de modo que buscan afanosamente señales que les indiquen que tarde o temprano, quien les ha abandonado volverá arrepentido. Si a una de estas personas se les ofreciera la oportunidad de desenamorarse de inmediato por medio de la

hipnosis o utilizando cualquier otra técnica, es casi seguro que no acep-
tarán la propuesta ya que, aunque deseen dejar de sufrir, no están dispuestas a dejar de amar a quien, en ocasiones, les ha hecho muchísimo
daño. El desenamoramiento es un proceso que dura meses; no se puede
dejar de querer de la noche a la mañana porque la imagen que se tiene de
la persona amada no es nunca la real. Para poder superar los problemas
de la relación, para mantener el vínculo, ha sido necesario minimizar los
errores de la persona amada y exaltar sus virtudes; convencerse de que es
la persona ideal y hacer el camino inverso, no es fácil. Muchos proponen
que lo mejor es volverse a enamorar cuanto antes, pero esta medida no
suele ser la más adecuada ya que en estos casos se tiende a arrastrar a la
nueva pareja los errores de la anterior.

Para poder desenamorarse es necesario tener una gran fuerza de voluntad porque lo más fácil es abandonarse a la melancolía, buscar la emoción en el recuerdo de la persona que se ha ido por muy doloroso que
esto resulte. Es imprescindible evitar cualquier contacto con ella, prohi-
birse a uno mismo aquellas actividades que la traigan a la mente, como
podría ser el recorrer los lugares donde se ha estado con ella, mirar fotos,
leer viejas cartas, etc. Estas actividades pueden dejarse para más adelante, para el momento en el que la ruptura haya sido asimilada. A muchos
les ayuda el desarrollar una nueva afición (pintura,
algún deporte, etc.) o el enfrascarse en una tarea
que exija toda su atención la mayor parte del día. No
hay fórmulas universales para ello; cada cual debe
buscar la que más se adecúe a su personalidad.

El ritual que aquí se presenta tiene como fin
acelerar el proceso de desenamoramiento. Deberá
realizarse en sábado, dedicado a Saturno.

## ELEMENTOS NECESARIOS

Un vaso de agua – Una cucharada de sal gorda – Una foto (o fotocopia) de la persona a la que se quiere olvidar (se puede reemplazar por un papel con su nombre) – Un pomelo – Una cucharadita de café – Tres semillas de una planta que dé flores rojas – Un tiesto con tierra – Una vela negra – Cinta aislante – Una bolsa de plástico pequeña o un trozo de film de cocina.

## RITUAL

- Encender la vela con cerillas.
- Poner la foto de la persona amada (o una tira de papel con su nombre) dentro de la bolsita de plástico. Si se utiliza film de cocina, envolverla bien en él. Sellar el paquete con cinta aislante de modo que no entre agua en su interior.
- Echar en el vaso de agua una cucharada de sal gorda y una cucharadita de café.
- Exprimir el pomelo. Echar dentro del vaso siete gotas y beberse el resto del zumo diciendo: «No más amarguras. Hoy empiezo una nueva vida».
- Mezclar con una cuchara los ingredientes del vaso.
- Introducir la foto dentro del vaso y dejarlo junto a la vela. Cuando esta se haya consumido, poner el vaso en el congelador.
- Hacer un hoyo en el tiesto y poner en él las tres semillas diciendo: «Que mi corazón vuelva a la vida como estas semillas». Cubrir el hoyo con tierra y regarlo todos los días con medio vaso de agua.
- Dejarlo ahí hasta se haya superado la ruptura y el recuerdo de la persona amada no resulte doloroso.

## PARA DESENAMORAR A QUIEN SE HA AMADO

**58** Ser abandonado por la persona a la que se ama, resulta sumamente duro; pero también es angustioso sentir que no se quiere estar más junto a quien, durante meses o años, se ha amado intensamente. El deseo de separarse, sobre todo si la pareja quiere continuar el vínculo, crea muchas culpas, por ello muchas personas no dan este paso y las consecuencias de ello son un deterioro paulatino que produce mucho más dolor. Este hechizo se realiza para conseguir que la pareja se desenamore de uno. No sirve para desenamorarle de una tercera persona.

El amor no siempre es eterno. Hay parejas que permanecen juntas toda la vida y que al fallecimiento de uno de ellos sigue el de su compañero, como si sus ganas de vivir se hubieran terminado con su ausencia. En cambio hay otras que se compenetran muy bien durante mucho tiempo pero, aun así, llega un día en que el amor se acaba. Lamentablemente esto no les sucede a ambos miembros al mismo tiempo; lo más común es que uno de ellos empiece a darse cuenta que ya no siente lo mismo por su compañero, que por muchos esfuerzos que haga la vida en común le resulta aburrida e insatisfactoria.

Es habitual que a la hora de tener estos sentimientos, se planteen a la pareja una serie de cambios con el objeto de revitalizar la relación, pero estos no siempre dan los resultados esperados y llega el momento en el cual el componente que se ha desenamorado desea poner distancia con la persona amada y buscar emociones en otros círculos. La primera reacción que se experimenta ante este deseo es la de culpa ya que, si se ha llegado a esta situación, no es porque la pareja haya cometido faltas graves o porque haya tenido un cambio negativo; más bien es porque la relación se ha estancado, se ha vuelto rutinaria y aburrida.

Plantear una ruptura cuando se siente que no se tienen argumentos de peso, que el deseo surge porque el amor se ha acabado, resulta sumamente difícil ya que una declaración de este tipo resulta muy dolorosa para quien tiene que escucharla; por eso, quienes están en esta situación muchas veces piensan que lo mejor que podría ocurrir es que su compañero se enamorase de otra persona y fuera él quien plantease la separación. Lamentablemente, lo que suele suceder es que, cuando la crisis se hace evidente, cuando la comunicación se rompe y la persona amada se aleja, el temor que suscita la ruptura produce un efecto contrario; es decir, que la persona a la que ya no se ama tome conciencia de la situación y se muestre sexualmente más activa, haga esfuerzos por agradar y hacer la vida más fácil a su pareja, etc. Esto, como es lógico, aumenta la culpa que siente quien está dispuesto a poner fin al vínculo.

Para poder aceptar y superar un planteamiento de separación cuando se está enamorado, es necesario llenarse de ira; sin esta resulta muy difícil digerir el abandono. Quienes se empeñan en evitarla, en ignorar la frustración a la que, injustamente, se ven sometidos por su compañero, tardan mucho más tiempo en finalizar la etapa de sufrimiento que conlleva una separación. El hecho de que en un primer momento se sienta rabia, es natural y no debe provocar temores. Con el tiempo, y una vez que estos sentimientos negativos han sido mostrados, se podrá colocar a la persona amada en otro lugar, verla como un amigo, como alguien que ha sido muy importante en la vida pero que ya no ocupa ese lugar preferencial que se le había dado. El mostrar esta rabia sirve, también, para que la pareja que decide tomar distancia no se sienta tan culpable.

El ritual que aquí se presenta tiene por objeto hacer que una persona se desenamore de quien lo realiza. Resulta particularmente útil para quienes se acaban de separar de alguien que aún les sigue queriendo o para aquellos que, sin haber dado aún este paso, mentalmente ya han resuelto poner fin a la relación. No debe ser dirigido, de ningún modo, a una persona que no sea la propia pareja; no sirve para separar a terceros sino para facilitar la asimilación de la ruptura por parte del compañero. Deberá realizarse, preferiblemente, en sábado.

### ELEMENTOS NECESARIOS

Una alcachofa – Un grano de pimienta – Una cucharadita de azúcar – Papel y lápiz – Una cebolla – Un pomelo – Dos cajas pequeñas – Una cinta roja y otra negra – Una vela negra y otra blanca.

### RITUAL

- Encender con una cerilla la vela negra.
- Exprimir el zumo del pomelo.
- Escribir en una tira de papel el propio nombre y guardarlo en una de las cajas.
- Quitar, una a una, las hojas de la alcachofa pensando en la persona que se desea desenamorar. Sumergirlas hasta la mitad en el zumo de pomelo y, a

continuación, guardarlas en la caja que contiene el nombre.

- Poner dentro de la caja la cebolla, sin pelar, pensando en la pareja y diciendo mentalmente: «A mi lado sólo te esperan lágrimas porque ya no puedo corresponder a tu amor».

- Atar la caja con la cinta negra, hacerle siete nudos y verter sobre ellos unas gotas de cera de la vela negra.

- Apagar la vela negra y encender la vela blanca.

- Introducir dentro del corazón de la alcachofa el grano de pimienta.

- Echar en él la cucharadita de azúcar, pensando en la pareja y diciendo mentalmente: «Tu corazón queda libre y dispuesto para amar a otra persona. Te agradezco todo lo que me has dado y te deseo la mayor felicidad».

- Guardar el corazón de la alcachofa en la otra caja. Atarla con una cinta blanca, hacerle nueve nudos y derramar sobre ellos un poco de cera de la vela blanca.

- Enterrar ambas cajas en lugares distantes entre sí. Puede ser al aire libre o en dos tiestos.

## LOS HECHIZOS DE SALUD

**59** El simbolismo de los rituales que se ejecutan para propiciar la salud actúa de modo protector sobre el organismo, haciendo que la mente deseche las emociones negativas que alteran los órganos y sistemas. Por esta razón, lo más recomendable es que sean ejecutados por el paciente ya que, de este modo, su intervención es directa. Ningún hechizo puede utilizarse en reemplazo del médico. Ante la presencia de los primeros síntomas de enfermedad, lo correcto es acudir a su consulta y luego hacer el ritual correspondiente para aumentar el efecto de los medicamentos.

La salud figura entre las principales preocupaciones del hombre y su pérdida, no sólo provoca el malestar inherente a la enfermedad sino que, además, genera a quien la experimenta o a las personas que le quieren una gran impotencia. Durante el tiempo de espera del resultado de unos análisis, de las consecuencias de una intervención quirúrgica o del efecto de una medicación, nada puede hacerse para resolver la incertidumbre, para alentar las esperanzas de que no sea nada grave o para que todo vuelva a su ritmo normal.

Tanto los griegos como los romanos consideraron el cuerpo y la psiquis como una unidad indisoluble, de modo que el desequilibrio en cualquiera de estos componentes del ser humano, afectaba en mayor o menor grado al otro. Cualquier dolencia puramente física, desde un simple dolor de muelas hasta las dolencias más graves, afectan la vida psíquica de quien la padece. La experimentacíon del dolor, de la inmovilidad, de la falta de fuerzas o de cualquier otra consecuencia de una enfermedad, alteran el comportamiento psicológico y la forma de contacto con el entorno, ya que producen angustia, depresión, enfado, irritabilidad, apatía, etc. Inversamente, los conflictos psicológicos producen síntomas en el cuerpo que pueden desembocar en dolencias crónicas.

Es bien sabido que para una persona que sufra del corazón, un susto o un disgusto podrían resultar fatales; también que el deseo de recuperación de todo enfermo actúa positivamente en su curación. Sin embargo, es menos conocida la relación que existe entre las emociones y el organismo y es importante conocerla ya que nos afecta en la vida cotidiana.

Tanto el hombre como los animales tienen mecanismos automáticos que le permiten defenderse de las agresiones del entorno. Si al cruzar una calle un coche se nos viene encima, lo más probable es que demos un salto y, una vez seguros, tomemos conciencia de que hemos estado a punto de tener un accidente. En este caso, ha sido el cuerpo quien ha actuado por instinto.

Aunque a la hora de hablar de amor la emoción se empleen como sinónimo de sentimiento positivo hacia otra persona, como se verá, son mucho más que eso.

Hay emociones agradables, que producen placer, como la alegría y la sensación de paz, y emociones desagradables como la ira o el miedo. Sin embargo, estas últimas cumplen una función esencial para la supervivencia: nos permiten salir airosos de un ataque o huír rápidamente en caso de que no podamos hacer frente a lo que nos amenaza.

Una de las respuestas a cualquier agresión que se viva desde el exterior es el miedo. Cuando lo que perciben nuestros ojos u oídos informa al cerebro de que estamos frente a un peligro, este se encarga de acelerar los latidos del corazón y el ritmo respiratorio para que el cuerpo reciba más oxígeno. Nos ponemos pálidos porque la sangre se distribuye menos en el rostro que en las piernas; de esta forma, el organismo da potencia a sus músculos a fin de facilitar la huída. Las pupilas se dilatan, para poder recibir mayor cantidad de luz y la mente entra en un estado de alerta que le permite buscar rápidamente la mejor salida. Y todo esto ocurre antes de que nos demos cuenta de que corremos peligro. Para que este esfuerzo se realice rápida y efectivamente, se descargan en el torrente sanguíneo una serie de sustancias que obligan a los órganos implicados a trabajar más deprisa. Otro tanto ocurre con la ira: si observamos a una persona furiosa, veremos que tiene dilatadas las aletas de la nariz para recibir más oxígeno. Sus puños se cierran, y sus brazos reciben una mayor cantidad de sangre que en estado normal. Su respiración se agita y su corazón late aceleradamente.

Todo esto se comprende fácilmente ante la presencia de un animal salvaje, de un asaltante que nos amenace con un arma, o de cualquier otra situación extrema, pero pasa más desapercibido cuando la amenaza no está dirigida a la vida física sino a la psíquica.

Vivimos en sociedad y la aceptación de los demás es importante para nuestra supervivencia. Si nos enteramos que alguien nos está calumniando, intervienen los mecanismos de la ira porque ello constituye una auténtica amenaza a nuestro bienestar psicológico; si tenemos una entrevista de trabajo o un examen, podemos tener taquicardia, nudo en el estómago, tem-

blor, palidez, etc., que son síntomas de miedo. Esto quiere decir que, tanto en el caso de la ira como en el de la ansiedad, que es la forma en que se presenta el miedo, nuestro cuerpo debe hacer un esfuerzo extra para responder a lo que, nuestra mente, considera un ataque a la integridad psicológica. Con él, los órganos se desgastan porque no cumplen su función normal sino que trabajaban más de lo necesario.

Toda persona que tenga tendencia a la ira o a la ansiedad (miedo), está provocando con ello alteraciones en su organismo. En una sociedad competitiva como la que vivimos, que debemos resolver problemas de diferente índole todos los días y a la mayor celeridad posible, no es extraño que tengamos propensión a padecer de estrés; y este, no es sino una respuesta al miedo (a perder el trabajo, a que no nos quieran lo suficiente, a no tener un buen rendimiento académico, etc.). Es importante tomar conciencia de que cada vez que decimos que estamos estresados estamos afirmando que nuestros órganos están haciendo un esfuerzo extra; que nuestro corazón, aunque no lo notemos, bombea una mayor cantidad de sangre para mantener nuestra mente alerta; que la sangre no se distribuye uniformemente por todo el organismo sino que riega más aquellos órganos que pueden proporcionarnos una huída; que respiramos más agitadamente, etc.

Las enfermedades asociadas al estrés, son muchísimas: acné, eczemas, úlcera, gastritis crónica, tortícolis, migrañas, hipertensión, taquicardia, son sólo algunas, pero los médicos hoy aseguran que, salvo las heridas y algunas infecciones víricas, casi todas las dolencias tienen un componente psicológico y que este está emparentado con las emociones.

La magia trabaja por medio de símbolos; actúa haciendo modificaciones en la mente del operador que es quien, luego, por medio de su voluntad alterará el entorno. Desde este punto de vista, por el cambio que se produce en el interior tras hacer un ritual, es recomendable que los hechizos de salud sean hechos por quien padece la enfermedad, aunque también pueden realizarlo las personas allegadas a él.

La forma en la que operan es simple: proveen al paciente de un escudo que le permite «defenderse» (tanto de la enfermedad como de cualquier otra cosa) sin necesidad de obligar a su organismo a realizar un esfuerzo extra para lograrlo. De este modo, el cuerpo se equilibra, poco a poco. Por esto mismo, la mayoría de los rituales de salud tienen un carácter protector; más que curar una enfermedad, evitan que el organismo caiga enfermo.

Es importantísimo aclarar que ningún hechizo reemplaza al médico; más bien actúa como su aliado haciendo que los medicamentos obren el efecto esperado.

## PARA PROTEGER LA SALUD

**60** El cuidado de la salud no debe ser obsesivo sino natural. Las personas que siguen los criterios de los nutricionistas a la hora de alimentarse, que dan a su cuerpo las horas de descanso que este necesita y que mantienen tanto en su persona como en su entorno una buena higiene, están más protegidas contra las enfermedades. Este hechizo tiene como fin promover una buena salud y debe ser hecho por quienes, llevando un ritmo de vida sana, quieran tener una ayuda extra a la hora de evitar las enfermedades.

Conservar la salud es mucho más sencillo que restablecerla una vez que se ha perdido. El organismo es un sistema muy delicado, compuesto de numerosos órganos que se interrelacionan; de manera que si ante los primeros síntomas de una dolencia no se acude al médico para ponerle remedio, lo más probable es que su mal funcionamiento afecte a otras áreas, por muy distantes que estas estén.

El cuidado de la salud se apoya en tres pilares: alimentación, descanso e higiene; si estos no son los adecuados, sobreviene el trastorno o la enfermedad.

Este hechizo está destinado a toda persona que, siendo sana y no teniendo ningún problema de salud, desee protegerse más aún. Está espe-

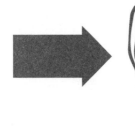

cialmente indicado para quienes trabajan con personas que sufran enfermedades contagiosas pero, como se explica anteriormente, eso no quiere decir que puedan exponerse más de lo recomendado porque el ritual les protege. Deberá hacerse en martes, dedicado a Marte.

## Elementos necesarios

Una siempreviva (llamada también flor de paja y flor de papel) – Un cordón verde de unos 15 o 20 cm – Un puñado de hojas de roble – Un limón – Una vela verde – Un coco – Un clavo y un martillo – Un cazo.

## Ritual

- Poner el limón en un lugar oscuro hasta que se seque. Su cáscara debe quedar dura y oscura.
- Cuando el limón se haya secado, hacer dos agujeros en el coco con ayuda de un clavo. Esta operación es más sencilla si se hacen dentro de los círculos oscuros que hay en su parte superior.
- Agrandarlos e hincar el clavo de modo que atraviese la pulpa.
- Verter el agua del coco dentro de un cazo, añadirle dos vasos de agua, las hojas de roble, la siempreviva y el limón entero.
- Poner el cazo al fuego y dejar que el agua hierva durante cinco minutos.
- Apagar el fuego y colar la preparación, rescatando de ella la siempreviva.
- Encender la vela verde con cerillas.
- Echar el cordón en el líquido y dejar el recipiente junto a la vela durante toda la noche.
- Al día siguiente, sacar el cordón de la pócima y dejarlo secar al aire libre junto a la siempreviva. Una vez que estos dos elementos estén completamente secos, atar la flor con el cordón y colgarla en la cabecera de la cama.

## PARA AUMENTAR LAS DEFENSAS

**61** Aunque estamos constantemente expuestos a virus y bacterias que pueden causarnos diferentes enfermedades, no las contraemos gracias a que nuestro organismo tiene un sistema defensivo que lucha contra ellas. Si este sistema falla o no está lo suficientemente fortalecido, podemos ser víctimas de infecciones tanto simples como severas. Este hechizo tiene por objeto fortalecer las defensas. Se puede realizar para prevenir enfermedades o para combatir las que ya se hayan podido presentar, siempre como ayuda a la labor que hacen los medicamentos que nos recete el profesional adecuado.

El aire que respiramos, sobre todo en las ciudades, contiene virus y bacterias causantes de enfermedades de modo que siempre estamos expuestos a ellas. Cuando viajamos en un medio público, por ejemplo, nos sujetamos al mismo pasamanos que pudo haber sido tocado por una persona resfriada o con gripe o respiramos parte del aire que acaba de exhalar; sin embargo, no todos los inviernos nos engripamos, a pesar de que por nuestro organismo hayan pasado los virus que generan esta enfermedad. La razón es que nuestro sistema inmunitario, los elementos que constituyen la defensa del cuerpo, han actuado rápidamente destruyendo a los agentes que causan esos trastornos.

La mejor manera de tener un sistema inmunitario fuerte es hacer una correcta alimentación que nos provea de las vitaminas y minerales esenciales para el cuerpo. Durante el invierno, por ejemplo, una buena medida es tomar cítricos, típicos de esta estación, ya que son ricos en vitamina C. Las fresas, las naranjas y los kiwis son los más recomendables. Esta medida nos dará más fuerza a la hora de combatir los virus de la gripe, de los catarros y resfriados.

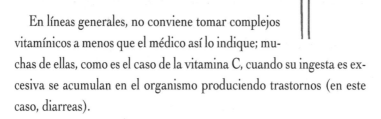

En líneas generales, no conviene tomar complejos vitamínicos a menos que el médico así lo indique; muchas de ellas, como es el caso de la vitamina C, cuando su ingesta es excesiva se acumulan en el organismo produciendo trastornos (en este caso, diarreas).

Desde la magia también puede incrementarse el sistema defensivo del cuerpo ya que es la mente quien lo gobierna; para ello, la voluntad debe ser orientada a producir células que actúen como un cuerpo sanitario de policía, eliminando las bacterias y virus que puedan atacarnos.

Este ritual tiene por objeto fortalecer las defensas. Puede hacerse en cualquier momento: ya sea como prevención o para combatir cualquier infección, siempre actuando como ayuda a la medicina. Deberá realizarse en martes, por la noche.

### ELEMENTOS NECESARIOS

Un vaso de agua – Una varilla de incienso de pino – Dos velas verdes – Dos cintas verdes de 10 cm de longitud – Una cinta roja y otra verde, de unos 10 cm de longitud – Un cristal de cuarzo – Un poco de lejía – Un cepillo de uñas – Jabón.

## Ritual

- Lavar con jabón y cepillo el cuarzo, tratando de quitarle todo tipo de impurezas.
- Dejarlo unos diez minutos en un vaso que contenga agua con lejía y luego enjuagarlo muy bien.
- Llenar un vaso de agua y poner el cuarzo en su interior.
- Frente al cuarzo, colocar el incienso y encenderlo.
- Poner una vela a cada lado del vaso; encender primero la de la derecha y luego la de la izquierda.
- Colocar la cinta roja sobre el vaso y luego la verde, de modo que formen una cruz (no deben tocar el agua). Decir: «Que la vibración de Marte llene de energías el agua de este vaso».
- A la mañana siguiente, beber en ayunas el agua del vaso sin quitar de su interior el cuarzo. Este ritual conviene hacerlo una vez por mes.

## PARA RECUPERAR LA SALUD

**62** Para recuperar rápidamente la salud es necesario, por una parte, acudir al médico, seguir sus indicaciones y, además, tener la actitud mental adecuada. Las ganas de vivir, de encontrarse en las mejores condiciones posibles, de emprender nuevos proyectos o desarrollar las aficiones en las que se encuentre más placer actúan positivamente en la curación. Este hechizo tiene como fin potenciar la energía positiva y preparar la mente para que se ocupe del restablecimiento del organismo.

Toda enfermedad indica que quien la padece sufre el desequilibrio en dos áreas de su ser: en el organismo, que es quien causaba los síntomas y en su psiquis. Hasta hace relativamente poco tiempo, sólo se daba importancia al problema físico y se procuraba el restablecimiento de la salud mediante la ingesta de medicamentos o por medio de la cirugía, allí donde los fármacos nada podían hacer.

En la actualidad se ha comprobado la gran importancia que tiene la mente en el proceso de curacíon, de ahí que junto a los tratamientos farmacológicos que se administran a los enfermos de cierta grave-dad, también se prescriba la atención psicológica.

Para que una persona aquejada por cualquier dolencia se cure, es imprescindible que desee hacerlo con todas sus fuerzas; que tenga motivaciones suficientes para obligar a su cuerpo a funcionar correctamente. En segundo lugar, es importante que confíe tanto en los médicos que le atienden como en el tratamiento que le prescriben ya que, de otro modo, gastará sus energí-as en aplacar sus dudas o en protestar interiormente porque no saben hacer su trabajo. Es cierto que hay enfermedades incurables; que la medicina puede hacer poco o nada para paliar sus efectos. En este caso, lo importante es no permitir que la enfermedad avance, que no produzca lesiones en otros órganos y sistemas y conseguir, además, la mejor calidad de vida posible. Este ritual tiene por objeto hacer que la mente del paciente influya positivamente sobre su cuerpo. Puede hacerlo el mismo paciente o bien una persona cercana a él. Deberá iniciarse los martes por la noche y continuarlo diariamente, también por la noche, hasta haber recuperado la salud.

## ELEMENTOS NECESARIOS

Dos botellas de vidrio – Una bolsa de garbanzos – Una tacita de alcohol – Una vela verde – Dos cintas verdes, de 10 cm de longitud.

## RITUAL

- Encender la vela con cerillas.
- Atar una cinta verde en el cuello de cada una de las botellas.
- Coger un garbanzo y mojarlo en el alcohol.
- Echarlo dentro de una de las botellas al tiempo que se dice: «Invoco a Marte para que me dé (o le dé) vitalidad; invoco a Saturno para que me ayude (o le ayude) a combatir el mal que me (le) aqueja».
- Sacar el garbanzo de la botella y pasarlo a la otra. Apagar la vela.
- El miércoles, así como en los días subsiguientes, encender la vela.
- Coger un nuevo garbanzo de la bolsa, mojarlo en alcohol recitando la invocacíon y meterlo dentro de la botella que contiene los demás.
- A continuación, vaciar la botella e introducir los garbanzos, uno a uno, en la otra.

## PARA QUE EL DIAGNÓSTICO SEA FAVORABLE

**63** La espera de los resultados de análisis, radiografías o cualquier otro método de diagnóstico suele generar una gran ansiedad en la persona enferma. Hay quienes tienen una absoluta confianza en que su dolencia será leve, pero otros, en cambio, esperan lo peor. Este hechizo tiene por objeto conseguir un diagnóstico favorable y, además, calmar la ansiedad de su espera. Puede efectuarlo tanto el paciente como cualquier persona de su entorno.

Cuando aparecen los primeros síntomas de una enfermedad, hay personas que imaginan lo peor: que temen haber contraído una dolencia grave y que su vida corre peligro. Suelen imaginar las peores situaciones y dan vueltas en su cabeza a problemas que aún no se han presentado, intentando prevenir las consecuencias, tanto para ellos mismos como para su familia, que pudiera acarrear el mal que creen padecer.

En caso de que el médico decida hacer pruebas diagnósticas (radiografías, análisis, etc.) para tener una mayor claridad acerca del problema, en el tiempo que transcurre desde que se toman las muestras hasta que se obtienen los resultados, estos pacientes viven un auténtico calvario.

Este hechizo tiene por objeto lograr que el diagnóstico sea favorable; que la dolencia sea leve y fácil de solucionar. También propicia la tranquilidad del paciente y su colaboración con el restablecimiento de su salud. Deberá efectuarse en martes.

## ELEMENTOS NECESARIOS

Una radiografía o el informe de análisis viejos (sólo se empleará un trocito muy pequeño, como podría ser una esquina) – Un cazo – Una nuez – Una cinta verde, de unos 15 cm – Un trozo de algodón – Hojas de roble – Una vela verde – Una tira de papel y lápiz.

## RITUAL

- Encender la vela con cerillas.
- Hacer una infusión poniendo en un cazo un litro de agua y una cucharada de hojas de roble. Dejar que hierva durante cinco minutos.
- Abrir la nuez en dos mitades, procurando que la cáscara no se rompa. Una vez abierta, vaciar cada una de las partes.
- Cortar un trozo muy pequeño de la radiografía o del informe de los análisis. Echarlo sobre la llama de la vela verde centrándose en el pensamiento de que el diagnóstico será favorable. Si el trocito no se quemara, empujarlo hacia la llama con la ayuda de un palillo.
- Mojar el algodón en la infusión de hojas de roble y guardarlo en una de las mitades de la nuez.
- Escribir en la tira de papel el nombre del enfermo; enrollarlo bien y ponerlo dentro de la nuez, sobre el algodón.
- Cerrar la nuez con la otra mitad, sujetando estas con la cinta verde. Hacer en la cinta nueve nudos.
- Gotear cera de la vela a lo largo de la unión de las dos cáscaras de nuez, a fin de sellarlas, al tiempo que se dice: «Invoco a la Naturaleza para que el mal que aqueja mi cuerpo no sea grave».
- Enterrar la nuez y echarse el resto de la infusión sobre los pies, dejándolos secar al aire libre.

## PARA ALIVIAR LOS DOLORES CRÓNICOS

**64** Las dolencias crónicas a veces se cursan con dolores que se mantienen durante todo el tiempo o que aparecen cuando la enfermedad más se manifiesta. Estos deterioran la calidad de vida del paciente ya que debe gastar grandes cantidades de energía para hacer frente al permanente sufrimiento. Este hechizo tiene como fin paliar los dolores crónicos, independientemente de su origen. Conviene que sea realizado por quien los padece pero también dan resultado si alguien los efectúa en su nombre.

Muchas de las enfermedades que hasta el momento no tienen cura, generan en el paciente dolores más o menos intensos con los que deben convivir el resto de su vida o, al menos, en aquellos períodos en los cuales la enfermedad se agudiza. Eso, naturalmente, les resta calidad de vida ya que, además de la molestia propia del dolor, les impide en ocasiones una correcta movilidad, les obliga a una pérdida de la atención ya que deben hacer frente al problema, etc.

Hay diferentes técnicas de relajación que pueden proporcionar un gran alivio ya que apuntan a distender la musculatura de manera que no haga presión sobre zonas sensibles. También métodos de entrenamiento mental mediante los cuales el dolor puede ser total o parcialmente controlado, amén de técnicas médicas que se emplean en las unidades de dolor y que consisten, muchas veces, en el aislamiento de los nervios que lo producen.

El objeto de este ritual es aliviar los dolores crónicos, como pueden ser los reumáticos, las migrañas u otros de índole más severa. Es conveniente que lo realice la persona afectada ya que, de este modo, el proceso sigue una vía más directa y los efectos del hechizo aparecen con más celeridad.

El día más apropiado para llevarlo a cabo es el sábado. Si el enfermo deseara hacerlo pero dada su condición no pudiera realizar parte del procedimiento, puede contar con la ayuda de otra persona que haga por él cualquiera de los pasos. En este caso, deberá estudiarse primero todo el ritual, decidir qué puntos hará cada uno y luego, durante la celebración del mismo, no pronunciar ninguna palabra que no tenga que ver con el hechizo.

### ELEMENTOS NECESARIOS

Una botella de alcohol – Una vela verde – Un trozo de tela verde de 50 x 50 cm – Un cordón amarillo – Una hoja de roble, una de eucalipto y otra de laurel – Un cristal de cuarzo.

### RITUAL

- Encender la vela con cerillas.
- Introducir dentro de la botella de alcohol el cristal de cuarzo.
- Verter unas gotas de cera de la vela sobre la superficie de la botella y pegar en ella la hoja de roble al tiempo que se dice: «Que el roble entregue su fortaleza».
- A la misma altura, derramar nuevamente cera sobre la botella y pegar en ella la hoja de eucalipto diciendo: «Que el eucalipto entregue su paz».

- Por último, volver a derramar cera a la misma altura a la que se han pegado las otras dos hojas, poner sobre ella la de laurel y decir: «Que el laurel entregue su resistencia».
- Sujetar las tres hojas que se han pegado con el cordón amarillo, dándole varias vueltas alrededor de la botella. Atarlo con siete nudos y sellarlos con cera de la vela; luego, apagarla.
- Envolver la botella en un trozo de tela verde y dejarla tapada, al sereno, durante tres noches.
- Una vez hecho esto, encender diariamente la vela, mojarse los dedos en este alcohol y trazar una cruz en cada una de las plantas de los pies y otras dos en las palmas de las manos diciendo: «Así como se funde la vela se diluya tu dolor»; luego, apagarla. Esta operación, si se desea, se puede realizar varias veces al día.

# PARA BAJAR LA FIEBRE

**65** La fiebre es un síntoma que se presenta, entre otras cosas, por la presencia de una infección. Es un mecanismo de defensa que actúa elevando la temperatura del organismo a fin de que los virus y bacterias se multipliquen lo menos posible. Los niños son los más propensos a mostrar temperaturas elevadas en el curso de las infecciones por ello, para evitar daños en órganos y tejidos, es necesario controlarles la fiebre. Este hechizo tiene por objeto bajar la temperatura de un paciente. Es una ayuda a los medicamentos que se le puedan administrar; nunca un sustituto.

Entre los síntomas que hacen acto de presencia ante una infección, está la fiebre. Este aumento de temperatura corporal tiene por objeto evitar que las bacterias y virus sensibles a la temperatura se multipliquen rápidamente, dando al sistema inmunitario mayores posibilidades de combatirlos. La fiebre no es, en sí misma, una enfermedad sino un síntoma pero como una elevada temperatura puede causar daños en diferentes tejidos, es importante no permitir que esta alcance grados muy altos.

Los niños, que cuentan con un sistema inmunitario poco experimentado, son los que tienen mayor propensión a tener temperaturas elevadas ante causas no graves en sí, como podrían ser las infecciones de oídos o garganta; de ahí que sea conveniente controlarla utilizando para ello, y en primer lugar, los antipiréticos que pueda recetarles el médico y, como apoyo, un ritual que colabore con la labor terapéutica.

Este hechizo se puede emplear para ayudar a bajar la fiebre tanto a niños como a adultos. El conjuro que en él se pronuncia es muy antiguo: procede de uno de los libros apócrifos: *El Testamento de Salomón*. Conviene emplearlo cuando se observan más de 38 °C. No es necesario que lo lleve a cabo el mismo paciente; puede hacerlo este o bien alguna persona de su entorno.

## ELEMENTOS NECESARIOS

Una vela blanca – Una cinta roja de unos 20 cm de longitud y 3 de ancho – Un vaso con vinagre – Un pepino – Una manzana – Un cubito de hielo.

## RITUAL

- Encender la vela con cerillas.
- Poner el cubito de hielo dentro de un vaso con vinagre y sumergir en él la cinta.
- Pelar el pepino y la manzana y cortar de cada uno de ellos siete rodajas finas.
- Colocar en la frente del paciente, de sien a sien, la cinta roja. Disponer encima de esta una rodaja de pepino y otra de manzana.
- Colocar una rodaja de pepino y otra de manzana en las siguientes partes del cuerpo: sienes, axilas e ingles.
- Una ver colocadas las rodajas de pepino y de manzana, acercar la boca a la oreja derecha del paciente y pronunciar estas palabras, extraídas del libro *El Testamento de Salomón*: «Fiebre sórdida: te conjuro por el trono del Dios Altísimo, retírate de la sordidez y de la criatura de Dios».

## PARA EL DOLOR DE MUELAS

**66** Uno de los dolores más comunes que se experimentan a lo largo de la vida es el de muelas ya que, aun quienes logran mantener su boca en perfectas condiciones, han debido pasar por las molestias que implica la salida de los primeros dientes. Este hechizo tiene por objeto paliar los dolores dentales y puede ser realizado tanto para calmar los de los bebés como los que aquejan a personas adultas.

El dolor de muelas es una de las afecciones más comunes que afectan, en algún momento de su vida, a todas las personas. Durante la primera infancia, por ejemplo, el nacimiento de los dientes causa en los niños no sólo dolor sino, también, diferentes trastornos asociados: problemas gastrointestinales, fiebre, etc.

Para evitar después cualquier problema dental, es imprescindible una buena higiene bucal así como el reconocimiento periódico de la boca por parte de un profesional ya que los alimentos elaborados que consumimos contribuyen a la proliferacíon de bacterias y, con ellas, a la aparición de caries.

Lo importante ante el dolor de muelas es no perder el control; concentrar la atención en el punto en el que se origina, buscar su origen lo más precisamente posible y dirigir la voluntad hacia él al tiempo que se relaja el resto del cuerpo.

Un buen ejercicio consiste en imaginar que ese punto es en principio rojo y que, paulatinamente, va cambiando de color hasta transformarse en una zona de color azul eléctrico y muy fría. Con la concentración suficiente es posible lograr un gran alivio ya que este ejercicio estimula la desaparición de la inflamación del área afectada, aliviándose la presión sobre el nervio que ocasiona el dolor.

El hechizo que se explica a continuación puede aplicarse tanto a los dolores ocasionados por la dentición como a las infecciones bucales. En este caso, lo importante es comprender que la ausencia de dolor no significa que el problema esté resuelto sino sólo atenuado; por lo tanto es necesario acudir inmediatamente al odontólogo para que la molestia no vuelva a presentarse.

El ritual se puede efectuar a cualquier hora del día aunque es preferible realizarlo a las doce de la noche. Para ello, conviene tener preparados todos los ingredientes que se van a utilizar cinco minutos antes.

## ELEMENTOS NECESARIOS

Cinco velas blancas – Un paño negro de 50 x 50 cm – Un diente de ajo – Cinco clavos de olor – Un puñado de harina – Un plato pequeño – Una cucharadita de aceite.

## RITUAL

- Extender el paño sobre la mesa y trazar sobre él con la harina una estrella de cinco puntas.
- Poner en cada una de las puntas de la estrella uno de los clavos de olor y una vela blanca.
- En el centro de la estrella, colocar un plato y, en su centro, el diente de ajo, sin pelar.

- Encender con cerillas y una a una las cinco velas, en sentido opuesto a las agujas del reloj.
- Una vez que estén encendidas, echar sobre el diente de ajo una cucharadita de aceite.
- Untar los dedos índice y medio en el aceite que haya quedado sobre el ajo y pasar la mano a unos 10 cm de las llamas de las velas, trazando un círculo en sentido inverso al de las agujas del reloj al tiempo que se dice: «Oh, poderoso ángel Iazel; extiende sobre mí tus alas y quítame este sufrimiento».
- Pasar luego los dedos untados en aceite por la parte externa de la zona dolorida (mejilla, mentón, etc.).

## PARA EL DOLOR DE CABEZA

**67** Los dolores de cabeza se encuentran entre los malestares más frecuentes. Pueden ser producidos por el estrés, por los cambios de clima, por los ruidos molestos, por la electricidad estática, por una mala digestión, etc.; en el entorno hay muchísimos factores que en ocasiones dan lugar a su aparición. Estos tres hechizos tienen por objeto aliviarlos; son rituales simples que, si se tienen a mano los objetos necesarios, se pueden llevar a cabo en cualquier momento y lugar.

El dolor de cabeza puede tener diferentes orígenes y no siempre se presenta de la misma manera. A menudo es causado por el estrés; aparece en los momentos de tensión y desaparece en un tiempo relativamente breve. Sin embargo, también puede originarse por trastornos de mayor importancia de modo que si no remite o si es muy agudo, lo más aconsejable es acudir al médico.

Hay muchos hechizos que tienen por objeto disminuir o curar el dolor de cabeza; aquí se proponen tres de ellos, que podrán ser efectuados una vez que la molestia se haya iniciado y por la persona que padece el dolor. Se han elegido fórmulas sencillas a fin de que puedan llevarse a cabo en cualquier momento y lugar.

### HECHIZO 1

#### ELEMENTOS NECESARIOS

Un pañuelo (preferiblemente de tela, aunque también puede emplearse uno de papel) – Una cucharadita de azúcar – Papel y lápiz.

## RITUAL

- Escribir en una tira de papel el nombre de la persona afectada y, a continuación, la siguiente invocación: «La energía brotará de mi plexo solar y expulsará el dolor a las tinieblas».
- Hacer un nudo en cada una de las esquinas del pañuelo y poner en el centro el papel con la invocación.
- Echar sobre este una cucharadita de azúcar, anudarlo de manera que no escape lo que hay en su interior y posarlo sobre la zona dolorida.

## HECHIZO 2

### ELEMENTOS NECESARIOS

Una moneda que tenga en una de sus caras la figura de un animal. Puede ser de cualquier país y, también, antigua – Un lápiz o bolígrafo – Un vaso de agua – Una cucharadita de sal.

### RITUAL

- Es conveniente que quienes sufran dolores de cabeza tengan siempre a mano una moneda que en una de sus caras tenga la figura de un animal (puede ser mamífero, ave, pez, etc.).
- Cuando comience el dolor, se deberá colocar la moneda sobre las partes afectadas, dejándolas en ellas unos cinco minutos.
- A continuación, poner la moneda sobre una superficie dura y golpearla con la parte posterior de un lápiz o bolígrafo siete veces diciendo: «Por el poder de los siete arcángeles, tú te quedarás con mi dolor».

- Una vez hecho esto, poner una cucharadita de sal dentro de un vaso de agua, removerla y echar dentro la moneda. Quienes no estén en ese momento en casa, pueden quitar a continuación la moneda del vaso dejándola secar al aire libre; sin embargo es preferible que se mantenga dentro del vaso hasta que el dolor de cabeza haya cesado.

## HECHIZO 3

### ELEMENTOS NECESARIOS

Una cucharadita de hierbabuena, una de tomillo y otra de romero – Una piedra blanca – Una cinta de 1 m de longitud, blanca – Un paño de 20 x 10 cm, azul oscuro – Un vaso de vino blanco.

### RITUAL

- Coser el paño para hacer un pequeño saquito.
- Meter dentro de la bolsita la hierbabuena, el tomillo y el romero, en ese orden.
- Introducir la piedra en vino blanco y dejarla al sereno toda la noche. Al día siguiente, dejarla secar al aire libre y luego guardarla también en la bolsa.
- Con una costura, cerrar el saquito y coserle en uno de sus lados la cinta. Cuando sobrevenga el dolor de cabeza, atarla al pecho de manera que el amuleto quede sobre el plexo solar; es decir, a la altura del final del esternón. Dejarlo ahí hasta que el dolor haya pasado.

## PARA SUBSANAR EL INSOMNIO

**68** El insomnio es un trastorno del sueño que puede afectar seriamente la calidad de vida de quienes lo padecen. Su origen puede deberse a diversas causas: dolencias crónicas, ritmo de vida inadecuado, estrés, sedentarismo, dieta poco higiénica, problemas, etc. Los casos más leves pueden solucionarse tomando una comida ligera y haciendo un paseo relajante antes de irse a dormir, pero los más graves necesitan atención médica. Este hechizo tiene por objeto brindar a quien lo hace de un sueño reparador.

El insomnio es una de las alteraciones del sueño más comunes. Aunque generalmente se asocie con la imposibilidad de conciliar el sueño, que es la forma más habitual en la que el trastorno se presenta y que recibe el nombre de insomnio inicial, existen otras dos: el insomnio intermedio, en el cual quien lo sufre se despierta varias veces durante la noche y el insomnio terminal, en la que el despertar se produce excesivamente temprano. Este trastorno puede tener su origen en factores externos como la dieta, el alcohol, las bebidas excitantes, ciertos medicamentos, etc. o bien puede estar causado por emociones (miedo, furia, ansiedad). Hay personas hiperactivas, que llevan una vida sedentaria y un trabajo intelectual, que a la hora de irse a dormir no logran hacerlo porque su mente se niega a tomar un descanso aunque su cuerpo se lo esté pidiendo.

Una de las causas más frecuentes del insomnio son los problemas: cuando se tiene que hacer frente a una situación dolorosa, a problemas que no tienen fácil solución como podría ser una separación, la amenaza de pérdida de bienes, la enfermedad propia o de una persona querida, un proceso depresivo, la mente no puede relajarse, abandonar el estado de alerta que le obliga a imaginar posibles soluciones.

Hay formas naturales de combatir este trastorno, medidas higiénicas que facilitan la aparición del sueño. Los médicos recomiendan no irse a la cama con el estómago vacío sino tomar antes de dormir una comida ligera ya que las copiosas, aunque produzcan somnolencia inicial, suelen provocar el despertar poco después de haberse quedado dormido. Hay bebidas e infusiones relajantes que también pueden ayudar y el hacer ejercicio físico, aunque sólo sea caminar, puede resultar sumamente beneficioso. Pero si tomando estas medidas el insomnio se prolonga por más de quince días, lo más recomendable es consultar a un médico.

Este hechizo tiene por objeto estimular el sueño. Sirve para los tres tipos de insomnio y puede hacerlo toda persona que no descanse bien por las noches. Es especialmente apto para aquellos que padecen de un insomnio temporal causado por los problemas que están viviendo. Deberá llevarse a cabo antes de ir a dormir.

## ELEMENTOS NECESARIOS

Una jofaina con agua (puede ser un cuenco grande) – Tres cucharadas de sal gorda – Un vaso de aceite – Un palillo – Un botón de nácar – Una vela blanca.

## RITUAL

- Antes de ir a dormir, disponer todos los materiales sobre una mesa y encender la vela con cerillas.
- Echar las tres cucharadas de sal gorda dentro del cuenco con agua.
- Colocar el botón en el centro del cuenco y una vez retirada la mano, hacer con ella tres cruces sobre cada una de las sienes.
- Con sumo cuidado, verter el aceite dentro de la jofaina. Conviene utilizar para ello una jarra de pico estrecho acercando este lo más posible a la superficie del agua y derramándolo lentamente. Durante esta operación, decir: «Que el poder del ángel Ariel me procure un sueño reparador».
- A continuación, con un palillo unir las manchas de aceite que se hayan formado en la superficie del agua hasta formar una sola, grande.
- Terminada esta operación, colocar la jofaina o el cuenco debajo de la cama y luego acostarse en ella, a ser posible boca arriba.

## Para solucionar la frigidez

**69** La frigidez es un trastorno femenino caracterizado por la falta de apetito sexual. Puede ser provocado por diferentes causas entre las que cabe citar una educación represiva, estrés crónico, depresión, problemas que necesitan atención urgente, etc. Sin embargo, la mayoría de las veces tiene su origen en una relación de pareja en la cual no se cumplen las expectativas de la mujer, ya sea porque esta se siente incapaz de expresar sus deseos a su compañero o porque él no accede a complacerlos. Este hechizo tiene por objeto mejorar la relación entre ambos o disolver los bloqueos que conducen a la frigidez.

Se entiende por frigidez a la falta de deseo sexual en la mujer. A menudo esta palabra se emplea para otra disfunción, la anorgasmia, caracterizada no por la inapetencia sexual sino por la imposibilidad de llegar al orgasmo. Esta, con el tiempo, sí puede traer aparejada la frigidez ya que la frustración que se produce al no obtener el placer esperado hace que, poco a poco, las relaciones sexuales sean menos deseadas.

En la frigidez concurren factores biológicos y psicológicos. Entre los primeros caben citarse algunas dolencias o medicamentos que inhiben la secreción de las hormonas esenciales para provocar el deseo sexual y algunos trastornos en el aparato genital femenino que determinan relaciones dolorosas y, por lo tanto, no deseadas. Pero en la mayoría de los casos, la frigidez se produce por causas psicológicas.

Las mujeres que han tenido una educación muy represiva no tienen, con relación al sexo, una actitud natural. Se les ha enseñado a verlo como algo sucio y desagradable y, por lo tanto, no se permiten desearlo. Este problema suele estar asociado con un profundo desconocimiento del propio cuerpo y de sus necesidades. La sola idea de sentir placer mediante caricias o juegos eróticos, suele producir en ellas un sentimiento de culpabilidad que las lleva a rechazar cualquier tipo de fantasía, cercenando así el deseo.

Otras de las causas psicológicas son el estrés crónico, la depresión y la frustración. Según los estudios realizados por H. Singer, estas alteraciones psíquicas pueden generar cambios en el sistema endocrino disminuyendo en el organismo el nivel de las hormonas que estimulan el deseo. En estos casos, lo conveniente es pedir ayuda a un psicólogo.

Pero el factor que con mayor frecuencia produce períodos de frigidez tal vez haya que buscarlo en los problemas de pareja. El hombre y la mujer, sea por constitución o por los roles que la sociedad adjudica a cada uno, no viven la sexualidad de la misma manera. El primero, con órganos sexuales externos, responde a estímulos visuales (imágenes, lencería, etc.) en tanto que la mujer necesita más de estímulos auditivos y rituales que propicien la aparición del deseo sexual.

En muchos animales se observa el ritual del cortejo: antes de que la cópula tenga lugar y muchas veces ante la llamada de la hembra, el macho realiza una serie de actos que tienen por objeto despertar su atención e, incluso, su admiración. En algunas especies realizan una auténtica danza amorosa para deleite de la que será su compañera. Pero en el hombre, salvo en los primeros tiempos de una relación, el cortejo es prácticamente inexistente; sobre todo en aquellas parejas que llevan tiempo conviviendo. Y si bien el hombre puede olvidar la relación deficiente o las discusiones que haya tenido con su mujer durante todo el día y expresarle su amor y su deseo al momento de ir juntos a la cama, para la mujer eso resulta mucho más difícil ya que su cuerpo no está preparado; su cerebro no ha recibido el estímulo suficiente para poner en marcha las hormonas que generan el deseo. Aun así, en muchas ocasiones accede a ello lo cual le produce una frustración que acentúa la frigidez. En estos casos, lo más recomendable es acudir a un sexólogo que enseñe las pautas a seguir para obtener una mayor comunicación, un mayor entendimiento entre ambos y, con ellos, una relación sexual plenamente satisfactoria.

Las causas de la frigidez, como se ha visto, pueden ser muy variadas pero para subsanarla, lo primero que debe hacerse es reconocerla como tal y averiguar qué es lo que la provoca.

Este hechizo tiene por objeto aumentar el deseo sexual en una mujer. Lo más adecuado es que lo realice ella misma ya que de este modo la solución es más directa, pero también puede hacerlo su pareja. Es recomendable que el ritual se practique en martes.

### ELEMENTOS NECESARIOS

Una cinta roja y otra azul, de unos 50 cm de longitud – Una foto (o fotocopia) de la persona que padece el trastorno y otra de su pareja – Dos imanes – Una cucharadita de miel – Pegamento para metales – Una vela roja.

## RITUAL

- Encender la vela con cerillas.
- Acercar los dos imanes entre sí a fin de que se peguen. Sin separarlos, pegar detrás de uno de ellos la cinta roja y detrás del otro, la azul. Cuando el pegamento esté seco, separarlos. (Si se tratara de una pareja homosexual, utilizar dos cintas del mismo color: rojo si se trata de hombres y azul si son mujeres).
- Recortar las fotos de manera que sean aproximadamente del mismo tamaño (basta con el rostro). Se pueden sacar fotocopias de ellas o, en caso de no tener fotografías, emplear un papel con el nombre de los miembros de la pareja.
- Pegar cada una de las fotos al imán correspondiente (si son hombre y mujer, el primero al que tiene la cinta roja y la segunda a la que tiene la cinta azul).
- Poner una gota de miel en la cara del hombre (o de la pareja de quien padece el trastorno), evitando que los imanes se peguen entre sí.
- Atar juntos los extremos de las cintas que se han pegado a los imanes y luego coger el nudo y elevarlo a fin de que éstos queden colgando, en el aire. Cuando estos se peguen, decir interiormente: «En cuerpo y alma, no seremos dos sino uno».
- Colgar los imanes en algún lugar del dormitorio (preferiblemente detrás de la cama), procurando que el rostro de los dos miembros de la pareja queden uno frente a otro.

## PARA ADELGAZAR

**70** En la actualidad, debido a la vida sedentaria y a la falta de una buena dieta alimentaria, el sobrepeso es cada vez más común. Quienes lo padecen, a menudo fracasan en sus intentos por perder los kilos que les sobran ya sea por una falta de voluntad a la hora de hacer dietas o porque su cuerpo no responde correctamente a las mismas. En estos casos lo aconsejable es acudir a un especialista en endocrinología para que, tras un estudio, indique la mejor forma de conseguir este propósito. El hechizo que aquí se presenta tiene por objeto reforzar la voluntad y facilitar la disolución de la grasa corporal excesiva.

El aumento de la obesidad es un problema que ha tomado características de epidemia tanto en los países industrializados como en aquellos que están en vías de desarrollo. Según los informes emitidos por la Organización Mundial de la Salud, entre el 7% y el 12% de la población europea padece esta enfermedad. Sin embargo, esto no significa de ningún modo que se deba considerar que el resto tenga el peso adecuado ya que la mayoría, sin llegar a ser obesos, tienen diferentes grados de sobrepeso.

Las condiciones de vida urbanas no ayudan a mantener el cuerpo en condiciones ya que la mayoría de los trabajos que en ellas se ejercen son sedentarios y requieren poco o ningún esfuerzo físico. A pesar de ello, la forma en que se come no se corresponde con la energía necesaria para realizarlos: ingerimos más proteínas, hidratos de carbono y grasas de las que necesitamos y ese exceso se acumula en el cuerpo en forma de lípidos, provocando el sobrepeso.

Paradójicamente, la sociedad nos muestra a través de los medios de comunicación que el ideal de belleza es más próximo a una delgadez extrema (y por lo tanto enfermiza) que a las redondeadas curvas del Renacimiento, de ahí que quienes tienen kilos de más, hagan constantes esfuerzos por perderlos, fracasando en su empeño la mayoría de las veces.

Aunque el mayor problema que viven quienes tienen un peso excesivo sin llegar a ser obesos sea de índole estética, los trastornos de salud asociados con la acumulación de grasa corporal son muchos: diabetes tipo 2, enfermedades cardiovasculares e hipertensión, trastornos respiratorios y diferentes formas de reumatismo son sólo algunos de ellos.

Este hechizo tiene por objeto facilitar la pérdida de peso. Deberá realizarlo quien desee adelgazar y su cometido es estimular la fuerza de voluntad para llevar una dieta equilibrada y hacer el ejercicio necesario para conseguir el peso normal.

## ELEMENTOS NECESARIOS

Un vaso de agua – Un cristal de cuarzo – Una semilla de anís estrellado – Una vela azul oscuro.

## RITUAL

- Antes de utilizar el cuarzo por primera vez, deberá ser bien lavado con agua y jabón. Una vez hecho esto, se dejará toda la noche en un vaso de agua con sal.

- Cinco minutos antes de cada comida, encender la vela azul con cerillas.
- Sacar el cuarzo del vaso con agua y sal, enjuagarlo debajo del grifo e introducirlo dentro de un vaso de agua limpia.
- Meter dentro del vaso la semilla de anís estrellado, al tiempo que se dice: «Dispersa, dispersa, dispersa».
- Beber el vaso de agua sin quitar de su interior el cuarzo ni la semilla.
- Apagar la vela y guardarla a fin de volverla a utilizar, retirar el cuarzo de ese vaso y ponerlo dentro de otro que contenga agua y una cucharadita de sal gorda hasta la siguiente comida.

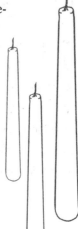

# PARA SUPERAR EL ESTRÉS

**71** El estrés es una respuesta del organismo ante situaciones peligrosas. Cuando el cerebro detecta una amenaza, libera hormonas y neurotransmisores a fin de preparar el cuerpo para la huída o la lucha. Quienes se sienten amenazados por situaciones cotidianas, obligan a su cuerpo a un esfuerzo extra constante que, a la larga, provoca diferentes dolencias y trastornos. Este hechizo tiene por objeto aprender a controlar situaciones difíciles manteniendo la calma.

Ante las situaciones de estrés, el pulso y la respiración se aceleran; los músculos se tensan, los sentidos se agudizan y, en general, todo el cuerpo se prepara para la lucha o la huída. Este mecanismo es importante para la supervivencia ya que, ante situaciones que realmente amenazan la vida, hacen posible una defensa más efectiva.

El problema se presenta cuando, por diversas razones psicológicas, el cerebro entiende como amenazantes situaciones que no lo son (un examen, la necesidad de terminar en poco tiempo un trabajo, los malentendidos con un cliente, etc.) ya eso indica que, quien lo padece, tiende a considerar peligrosas aquellas situaciones incómodas que no atentan contra su vida y, lo que es peor, a exigir a su organismo, constantemente, esfuerzos extraordinarios para superarlas. Esto produce un gran desgaste que, a la larga, no sólo conduce a una calidad de vida pobre sino, también, a la aparición de diferentes dolencias (gastritis, úlceras, problemas de piel, trastornos cardíacos, etc.).

El ritual que se presenta a continuación se realiza con el fin de superar el estrés, de conseguir mantener la calma y no alarmarse ante situaciones cotidianas. Deberá realizarse en día sábado.

### ELEMENTOS NECESARIOS

Cinco semillas de sésamo (ajonjolí), cinco de calabaza, cinco de girasol y cinco dientes de ajo – Una rama de lavanda y otra de romero – Un cuadrado de tela negra de 50 x 50 cm – Una vela negra y otra blanca – Un clavo o cuchillo con punta.

### RITUAL

- Escribir en la vela negra, comenzando por su base, el propio nombre y el apellido de modo que éste quede más próximo a la punta por donde se enciende. Utilizar para ello un clavo o cualquier objeto que tenga punta.
- Escribir el nombre y apellido en la vela blanca, pero al revés; es decir, de manera que el nombre quede más próximo a la punta por donde se enciende.
- Disponer la vela en el centro del paño negro (puede ser sobre un platito, en una palmatoria, etc.) y disponer ordenadamente a su alrededor las semillas. En el círculo inmediato a la vela, las de ajonjolí; luego, las de calabaza; después las de girasol y, por último, los dientes de ajo.
- Encender la vela negra y quemar después en ella la rama de romero.
- Cuando la vela negra se haya consumido, poner en su lugar (sin quitar los restos de cera) la vela blanca. Encenderla y quemar la rama de lavanda (si esta no se consigue, quemar algunas flores).
- Recoger los restos de la cera y ponerlos sobre el paño negro. Hacer con éste un paquete y enterrarlo al aire libre o en un tiesto.

## PARA COMBATIR LA ANSIEDAD

**72** La ansiedad es un mecanismo mediante el cual el cerebro prepara el cuerpo para cubrir alguna necesidad imperiosa como, por ejemplo, alimentarse. En algunas personas, este mecanismo es excesivamente sensible de manera que experimentan la necesidad de «algo» sin saber exactamente de qué se trata. Por ello experimentan angustia ya que quieren urgentemente algo, pero no saben qué. El objetivo de este ritual es calmar la ansiedad y reducir el temor que produce.

La ansiedad es una emoción que predispone al organismo a buscar lo que necesita. Si para obtenerlo es necesario hacer un esfuerzo, también producirá adrenalina a fin de que los músculos tengan la potencia y resistencia necesaria para llevarlo a cabo.

En las sociedades industriales este mecanismo se ha desarrollado en exceso dando lugar a los llamados trastornos de ansiedad, a las fobias y a los trastornos de pánico entre otros.

Quienes padecen de ansiedad generalizada experimentan una angustia difusa, una necesidad de «algo», aunque no sepan de qué se trata. Es un mecanismo que se ha disparado sin haber motivo para ello.

Para el psicólogo Ricardo Ros, la ansiedad patológica se relaciona en gran medida con el miedo al futuro y se basa en pensamientos del tipo: «¿Y si...?» (¿Y si me da un mareo y me desmayo? ¿Y si me descontrolo?, etc.).

Aunque los casos más severos de ansiedad deben ser tratados por profesionales, este hechizo puede servir para atenuar la angustia y reducir las crisis de ansiedad que, aunque leves, son muy molestas. Deberá hacerlo la persona interesada, en día sábado.

### ELEMENTOS NECESARIOS

Una vela verde – Un trozo de cinta verde – Un cuenco con agua – Unas gotas de agua de azahar – Una uva pasa.

### RITUAL

- En viernes, poner la uva pasa dentro del frasco que contiene agua de azahar.
- El sábado, encender la vela verde con cerillas.
- Echar en un cuenco con agua unas gotas de agua de azahar y sumergir la cinta.
- Poner el cuenco frente a la vela y sumergir en él las dos manos, con las palmas hacia abajo diciendo: «Tengo todo lo que necesito. Nada me amenaza porque los Seres Superiores velan por mí».
- Dejar las manos en el agua unos cinco minutos y luego retirarlas.
- Sacar la cinta del agua y ponerla a secar. Cuando haya perdido toda la humedad, atarla en la muñeca izquierda haciendo siete nudos.
- El agua del cuenco deberá echarse sobre tierra (al aire libre o en un tiesto).
- Cada vez que se experimente ansiedad, mojar los dedos en el agua de azahar que contiene la uva pasa y extenderla por la parte interior de las muñecas repitiendo la invocación.

## Para tener un buen parto

**73** El parto es un proceso que exige un gran esfuerzo al cuerpo de la madre y aunque hoy no son frecuentes las complicaciones y la gran mayoría de ellos no revisten peligro, las parturientas suelen sentir ante él un gran temor. Los cursos preparatorios para el parto suelen despejar todas las incógnitas que se presentan a las madres primerizas haciéndoles tener una actitud más relajada y segura frente al acontecimiento, de ahí que sean recomendables. Este hechizo tiene por objeto hacer que una embarazada tenga un buen parto.

Los partos son acontecimientos que generan grandes expectativas en las familias y, sobre todo, en las mujeres que van a dar a luz. Aunque sean un hecho natural, la mayoría de quienes no han tenido hijos sienten un gran temor a lo que pueda suceder, al dolor o a las condiciones en las que nazca el niño.

En la actualidad, tener hijos, salvo raras excepciones, no supone ningún riesgo; con los métodos diagnósticos y de control se monitoriza todo el trabajo que culmina con el nacimiento del bebé, evitando de esta manera cualquier posible riesgo.

A diferencia de lo que pasaba antiguamente, el dolor apenas si constituye un problema: la mayoría de los obstetras utilizan anestesia epidural para insensibilizar la zona pélvica y evitar de este modo la percepción de las contracciones, y en la sala de partos se emplean fármacos adecuados e instrumentos específicos para que el nacimiento sea más fácil y rápido.

El objetivo de este hechizo es conseguir que una mujer que esté a punto de dar a luz tenga un buen parto; es decir corto y sin ningún tipo de complicaciones para ella o para el niño. Puede efectuar el ritual ella misma o bien cualquier persona cercana. Deberá realizarse aproximadamente un mes antes de salir de cuentas, de noche y con luna en cuarto creciente.

## ELEMENTOS NECESARIOS

Un capullo de rosa blanca – Un bol – Una vela blanca – Una taza de harina de maíz – Una cucharada de azúcar – Dos tazas de leche – Una hebra de lana blanca.

## RITUAL

- Poner en un bol la harina de maíz y el azúcar para mezclarlos.
- Agregarle, poco a poco, el vaso de leche hasta formar una pasta semilíquida, que no tenga grumos.
- Poner el cuenco al aire libre y encender a su lado una vela. Dejarlo toda la noche al sereno.
- Al día siguiente, sumergir el capullo de rosa en la pasta de forma que la flor quede totalmente cubierta.
- Sin sacar la flor del interior del cuenco, anudar una hebra de lana blanca en su cabo.
- Colgar el capullo, así preparado, de un árbol o una planta, al aire libre, al tiempo que se dice: «El nacer es natural y lo natural siempre es fácil». Dejarla allí hasta que nazca el niño o hasta que desaparezca.

## LOS HECHIZOS DE DINERO

**74** Entre las ceremonias rituales más comunes entre los hombres primitivos se encuentran aquellas en las que se solicitaba a diferentes entidades sobrenaturales la abundancia de cosechas, de caza o de reproducción de los animales de granja porque estos eran los pilares sobre los que se asentaba la supervivencia del grupo. Actualmente, para poder mantenerse vivo y sano, el hombre sólo necesita de un sustento económico. Los hechizos que se presentan posteriormente tienen por objeto conseguir dinero para distintos menesteres. Siempre deberán ser realizados pidiendo sumas modestas ya que la ambición está reñida con el desarrollo espiritual.

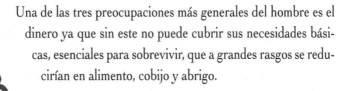

Una de las tres preocupaciones más generales del hombre es el dinero ya que sin este no puede cubrir sus necesidades básicas, esenciales para sobrevivir, que a grandes rasgos se reducirían en alimento, cobijo y abrigo.

Los rituales que crearon nuestros más remotos antepasados, en épocas en las que el dinero aún no se había inventado, se centraban en la abundancia de las cosechas, en la reproducción de los animales de granja o en la caza. Cada tribu cubría sus necesidades intercambiando con las vecinas aquellos alimentos que no tenían en su zona, o bien productos manufacturados como vasijas, pieles curtidas, cuerdas, etc. Lamentablemente, la mayoría de estos rituales se han perdido o bien modificado a fin de adaptarse a una población más numerosa, con otras pautas comerciales. El hecho de vivir en grandes ciudades ha hecho que el tener una casa y un huerto del cual obtener la comida diaria no sean en absoluto suficientes para ser aceptados por el entorno; también es necesario vestirse, comprar productos de limpieza, calzado, trasladarse en diferentes medios de transporte, y una gran cantidad de cosas más que, sin ser esenciales desde el punto de vista biológico, sí lo son desde el punto de vista social. Para sentirnos tranquilos y seguros no nos basta con saber que tenemos recursos económicos suficientes para llegar a fin de mes; necesitamos tener la certeza de que tanto en un futuro inmediato como uno lejano no nos veremos obligados a pasar necesidades económicas. No es posible decir una cifra respecto a la cantidad de dinero que toda persona necesita ya que algunos viven felices con muy poco en tanto que otros no lo son a menos que puedan rodearse de comodidades y lujos, la mayor parte de las veces innecesarios.

En los siguientes items se presentarán una serie de hechizos destinados a conseguir dinero para cubrir diferentes necesidades o deseos. Sin embargo, es importante advertir que el fin que debe mover al oficiante para que estos den los resultados esperados debe ser el bienestar del grupo. Al tener su origen en los antiguos rituales, generalmente realizados por un hechicero con la asistencia de todos los componentes de la tribu, en una época en la que era mucho más importante el bienestar colectivo que el individual, buscan la prosperidad de la familia. La ventaja de que así sea es que quien los realice no sólo verá incrementada su cuenta bancaria sino, también, verá un cambio positivo en las relaciones que mantenga con sus allegados.

Es un error pedir o pretender un exceso de bienes; es lícito querer vivir de forma cómoda y placentera, pero la avaricia y la acumulación innecesaria son lastres que impiden el desarrollo espiritual, que nos atan a la materia y que sofocan el espíritu.

## PARA QUE NUNCA FALTE DINERO

**75** Uno de los elementos más empleados por todos los pueblos para asegurar la abundancia y prosperidad de la familia son los amuletos. Estos pueden ser objetos confeccionados con diferentes materiales o bien semillas, hojas y ramas de algunas plantas del entorno a las cuales se atribuyen cualidades mágicas. En España se utiliza con este fin el ajo; en muchas regiones de América, el maíz y en Egipto, el trigo. Este ritual tiene como fin asegurar la prosperidad de la familia. Podrá hacerlo cualquier persona que viva en la casa cuya protección se procura.

Casi todas las culturas, tanto antiguas como modernas, han empleado los más diversos rituales y objetos a fin de asegurarse el bienestar económico. Entre los rituales se pueden citar los cánticos y danzas a los dioses que propiciaban las cosechas y, entre los objetos, grandes monumentos en piedra que marcaban los lugares sagrados para que a ellos acudiera todo el pueblo o bien pequeños amuletos individuales o familiares con los que se garantizaba, entre otras cosas, la prosperidad.

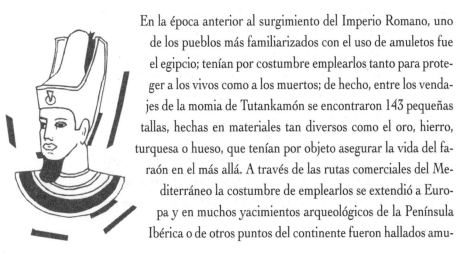

En la época anterior al surgimiento del Imperio Romano, uno de los pueblos más familiarizados con el uso de amuletos fue el egipcio; tenían por costumbre emplearlos tanto para proteger a los vivos como a los muertos; de hecho, entre los vendajes de la momia de Tutankamón se encontraron 143 pequeñas tallas, hechas en materiales tan diversos como el oro, hierro, turquesa o hueso, que tenían por objeto asegurar la vida del faraón en el más allá. A través de las rutas comerciales del Mediterráneo la costumbre de emplearlos se extendió a Europa y en muchos yacimientos arqueológicos de la Península Ibérica o de otros puntos del continente fueron hallados amuletos confeccionados con materiales locales que mostraban una clara influencia egipcia. Entre estos objetos también se encuentran estuches porta-amuletos, lo cual indica que lo común era tener varios.

En la actualidad, cada pueblo crea sus amuletos según los elementos que tiene en su entorno; en Nicaragua, país en el cual gran parte de la alimentación se basa en el maíz, llevan tres granos de esta planta en el bolso o en la cartera a fin de atraer el dinero, en tanto que en España se utilizan dientes de ajo con el mismo fin y en Egipto, espigas de trigo trenzadas que se cuelgan tras la puerta de entrada de la vivienda. El ritual que se explica a continuación tiene la virtud de lograr que nunca falte dinero en la familia. Deberá hacerse en jueves.

### ELEMENTOS NECESARIOS

Tantas monedas doradas como esquinas haya en la casa – Una vela amarilla – Una vara de incienso de eucalipto – Una copa de vino tinto.

### RITUAL

- Contar los rincones que tenga la casa (se entiende por rincón el punto en que se unen dos paredes).
- Conseguir tantas monedas doradas como rincones se hayan contado. Pueden ser o no del mismo valor.
- Encender la vela amarilla y la vara de incienso.
- Poner las monedas dentro de una copa de vino tinto, una a una, diciendo: «Que el fruto de la uva multiplique mi fortuna».
- Al día siguiente, sacarlas de la copa, dejarlas secar al aire libre y luego poner una de ellas, con la cara hacia arriba, en cada rincón de la casa.

## PARA ATRAER EL DINERO

**76** El dinero no cae del cielo ni se encuentra fácilmente tirado en una calle, de manera que la forma más efectiva de atraerlo es mediante el trabajo. Algunos consideran que los juegos de azar son un buen medio para enriquecerse, sin embargo quienes se entregan a ellos, o gastan sus ahorros en un casino o en las máquinas tragaperras, rara vez consiguen aquello que tanto persiguen. Este hechizo sirve para que quien lo realice sepa ver las oportunidades de negocio; para infundir en él la fe y confianza suficientes en sus ideas que es la base para sacarles provecho.

Hay personas que tienen una increíble facilidad para hacer dinero, en tanto que otras tienen que hacer grandes esfuerzos para conseguirlo. Las primeras, independientemente de que lo obtengan como fruto de su trabajo o por la venta de sus posesiones, son hábiles a la hora de establecer el precio más elevado posible cuando venden, y más bajo cuando compran y el secreto que se asienta en la base de su conducta es la convicción que tienen acerca de su propio valor; sin este, sería imposible convencer a un comprador de las ventajas de un producto, o a un empleador el beneficio que podría obtener contratándole.

El dinero se puede atraer de muchas maneras pero sin duda, la más efectiva y segura es mediante el trabajo. Quienes tienen ideas novedosas y poseen, además, una gran fe en ellas y en sí mismos, por lo general consiguen imponerlas con éxito.

El hechizo que se describe a continuación sirve como ayuda para atraer el dinero. No lo hará por sí solo; para que funcione es necesario que quien lo realice ponga, por su parte, trabajo, esfuerzo y también imaginación. El día más adecuado para efectuar el ritual es el jueves, que está consagrado a Júpiter.

## ELEMENTOS NECESARIOS

Una bandeja plateada (puede ser también un cuenco o un plato grande siempre y cuando no sea de estaño) – Una vela dorada – Doce nueces – Doce avellanas – Doce almendras – Doce semillas de girasol – Doce cacahuetes – Doce semillas de calabaza – Doce piñones – Una cinta ancha, amarilla o dorada de unos 15 cm de longitud – Una moneda dorada, que tenga el diámetro aproximado de la vela.

## RITUAL

Si alguno de los frutos no se encontrara, puede ser reemplazado por otro (pistachos, semillas de sésamo, anacardos, etc.). Lo necesario es reunir siete tipos diferentes de frutos secos. Es importante que aquellos que tienen cáscara dura (nueces, avellanas, etc.) estén sin pelar.

- Atar en la base de la vela la cinta dorada o amarilla haciéndole un lazo grande y vistoso.
- Encender la vela y cuando la cera comience a derretirse, echar un poco en el centro de la bandeja. Pegar allí la moneda, con la cara hacia arriba.
- Derramar nuevamente unas gotas de cera sobre la moneda y pegar en ella la vela, asegurándose de que quede firme.

- Disponer en la bandeja las semillas formando grupos alrededor de la vela, procurando que no se mezclen entre sí.
- Cuando el plato o la bandeja esté dispuesto, apagar la vela presionando el pabilo entre los dedos índice y pulgar.
- Cada vez que entre en la casa una persona que no viva en ella, coger la bandeja con la mano derecha y ofrecerle los frutos diciendo interiormente: «Lo que doy con la derecha que me sea devuelto en la izquierda».
- Si la persona toma algunos frutos del plato, éstos deberán reponerse encendiendo la vela y colocando los que falten. Siempre tiene que haber doce de cada grupo.

## PARA PROPICIAR LA PROSPERIDAD

**77** La prosperidad no se mide por la cantidad de bienes acumulados, ni por la posibilidad de adquirir todo aquello que deseemos en cada momento, sino por el sentimiento de plenitud y de avance ante los propios logros. Este hechizo propicia el crecimiento económico y genera en quien lo hace la satisfacción ante lo que, paulatinamente, va consiguiendo.

Durante la infancia y la juventud, estudiamos y nos preparamos para adquirir las herrramientas que nos permitan, en un futuro, ser económicamente independientes. Al llegar a la mayoría de edad tenemos nuestro primer trabajo y, a medida que progresamos, nos hacemos independientes, formamos nuestra propia familia y vamos haciendo, con el tiempo, una posición económicamente más sólida. Los principios son difíciles pero, con el tiempo, nos rodeamos de las mayores comodidades que nos podemos permitir.

La prosperidad, sin embargo, no se mide por los bienes acumulados, por el bienestar material, sino, más bien, por el sentimiento de plenitud ante la propia forma de vida. Hay quienes jamás llegan a cubrir lo que, para ellos, son necesidades materiales; que viven comparando lo que tienen con lo que poseen los demás. En cambio otros, que saben aprovechar mejor su tiempo, que no viven pendientes de los logros económicos, se sienten dichosos y plenos con cada uno de los frutos de su esfuerzo.

Este hechizo tiene por objeto tener conseguir lo necesario para vivir cómodamente. Deberá iniciarse en sábado, por la noche.

## ELEMENTOS NECESARIOS

1 kg de arcilla o de cualquier material para modelar que sea capaz de secarse y endurecerse – Una
cucharada de arroz – Papel y lápiz – Cuatro plumas – Pegamento – Un trozo de tela roja de
6 x 5 cm – Una cinta roja de 10 cm – Siete velas amarillas.

## RITUAL

- Separar del bloque de arcilla un trozo del tamaño de una nuez.
- Con el resto, construir una figura humana (con su cabeza, tronco, piernas y con los brazos en cruz). Si se desea, se pueden modelar las manos y los rasgos de la cara aunque no es imprescindible.
- Dividir el trozo que se ha separado al principio en dos mitades igua- les. Hacer con ellas dos alas planas y pegarlas en la parte posterior de la figura.
- Durante siete días, y siempre a la misma hora, encender ante el mu- ñeco una vela amarilla.
- Al octavo día, hacer una bolsa con la tela roja y coserle un asa con la cinta. Colgarla del hombro derecho del muñeco.
- El último día de cada mes, pegar dos plumas sobre cada una de las alas y poner dentro de la bolsa cinco granos de arroz, diciendo: «Eres mi protector; haz que la prosperidad llegue a mí».

En la bolsa también se pueden poner deseos materiales; bastará con escribir en un papel lo que se quiere obtener, enrollarlo y dejarlo en el saco.

## PARA OBTENER BUENAS GANANCIAS

**78** Las personas que tienen un negocio propio viven expuestas a una serie de factores externos que pueden determinar sus pérdidas y ganancias, independientemente del esfuerzo que pongan por sacarlo adelante. El que les vaya bien o mal depende, en gran medida, de la suerte; por eso se recomienda este hechizo cuyo fin principal es conseguir una buena clientela y obtener ganancias justas por el trabajo realizado.

Excepto las pocas personas que provienen de familias con grandes recursos económicos, el dinero necesario para vivir lo obtenemos, por lo general, de nuestro trabajo diario. Quienes trabajan por cuenta ajena, tienen asegurado su sueldo y su única preocupación consiste en saberlo administrar de modo que las principales necesidades queden cubiertas, pero aquellos que tienen un negocio propio, están sujetos a los vaivenes del mercado y a muchos factores que no siempre pueden preverse con antelación. Un producto puede tener una venta excelente en épocas calurosas, por ejemplo, pero si el invierno se alarga, es natural que su salida disminuya con la consiguiente pérdida para quien lo fabrique o para el comercio que lo distribuya.

Para obtener un beneficio sustancioso del negocio propio es necesario no sólo tener la intuición correcta a la hora de comprar las mercancías sino, también, bastante suerte. El pequeño comerciante que se establece en un barrio, puede ver afectado su negocio por el asentamiento de un gran supermercado que le haga competencia, porque poco a poco los edificios que antes eran viviendas se conviertan en oficinas, etc. En estos casos, no es que él haya cometido errores en su gestión sino que, por factores externos, sus ganancias merman de día en día.

Este hechizo procura buenos beneficios en un negocio propio. Pueden hacerlo aquellos que ejercen profesiones liberales o bien quienes tienen un comercio. Conviene realizar su preparación en jueves.

## ELEMENTOS NECESARIOS

Una vela dorada – Una botella con alcohol – Una cabeza de ajos sin abrir – Un cordón amarillo o dorado, de unos 20 cm de longitud – Una moneda dorada que pueda entrar por el cuello de la botella (o, en su defecto, un billete).

## RITUAL

- Encender la vela dorada.
- Meter dentro de la botella de alcohol una moneda dorada.
- Separar de la cabeza de ajo doce dientes e introducirlos, sin pelar y uno por uno, dentro de la botella.
- Hacer en una de las puntas del cordón tres nudos. Sellarlos derramando sobre ellos un poco de la cera de la vela.
- Sumergir el cordón en el alcohol introduciendo el nudo en la botella, diciendo: «Serafín Sitael, confío en tu bondad y creo en tu poder».
- Sacar el cordón y, tomándolo por el extremo opuesto al nudo, golpear con él las esquinas del lugar donde se ejerza la actividad comercial.
- Cerrar la botella, guardarla y atar el cordón detrás de la puerta de entrada.
- Al día siguiente, volver a sumergir el cordón en el alcohol y purificar las esquinas del recinto.

PINOT
NOIR

## PARA RECUPERAR UN DINERO PERDIDO

**79** Los rituales para hallar objetos perdidos son múltiples y muy variados. Algunos de los que han llegado a nuestros días y que son conocidos por la mayoría de la gente, resultan particularmente efectivos y fueron hechos hace siglos. El que aquí se explica, tiene como fin encontrar una suma de dinero que se ha extraviado o cualquier objeto relacionado con las finanzas (talonario de cheques, tarjetas de crédito, recibos, pagarés, etc.). Conviene que sea realizado por la persona que tenía el dinero o el objeto en custodia.

Son muchos los rituales más o menos complejos desti-nados a encontrar objetos perdidos; podría decirse que cada país tiene el propio. A veces consisten en oracio-nes que se rezan a algún santo al que se le adjudica la capacidad de hacer que el objeto aparezca como es el caso de San Antonio de Padua, o ceremonias simples en las que debe mencionarse algún personaje, como en el caso de «Pilatos, Pilatos, la cola te ato, y si no aparece, no te la des-ato», que se recita mientras se hace un nudo en un pañuelo. En algu-nos lugares la fórmula es más simple: basta con poner un vaso boca abajo y olvidarse del objeto perdido para que, automáticamente, nuestros pasos nos lleven hasta él.

Este hechizo no sirve para hallar cualquier cosa que se haya extravia-do sino sólo dinero o elementos que permiten su obtención, como es el caso de las tarjetas de crédito o los talonarios de cheques. Se puede hacer en cualquier día de la semana, preferiblemente ni bien se haya detectado la pérdida. Una vez que se efectúe el ritual, el requisito es no seguir bus-cando lo que se ha perdido sino abstenerse de hacerlo (o de pensar en ello) al menos durante media hora.

## ELEMENTOS NECESARIOS

Un puñado de flores de escaramujo (si no se consiguen, pueden emplearse las bolsitas de té de esta planta) – Una botella vacía y limpia – Una botella de alcohol – Una varita de incienso de jazmín – Un trozo de algodón.

## RITUAL

- Encender el incienso, con cerillas.
- Meter dentro de la botella vacía el puñado de flores de escaramujo y, a continuación, echar sobre ellas el alcohol.
- Tapar la botella y agitarla durante dos o tres minutos pasándola, cada tanto, sobre el humo del incienso.
- Recorrer toda la casa (o la oficina) comenzando por la habitación que esté más lejos de la puerta, salpicando en cada una de ellas un poco del preparado. Antes de salir de cada habitación, embeber el trozo de algodón en el alcohol y trazar una cruz, con la mano izquierda, detrás de la puerta.
- Si el dinero se hubiera perdido en la calle, recorrer el camino que se ha hecho dejando marcas con el alcohol, cada tanto, en las paredes o el suelo.
- Una vez hecho esto, mojar el dedo índice con el preparado. Apoyar este dedo sobre los párpados cerrados, teniendo cuidado de que el líquido no entre en los ojos, y decir: «Invoco a quien todo lo ve para que me muestre lo invisible».
- Se deberá dejar de buscar el dinero perdido y esperar a que, repentinamente, éste aparezca.

## PARA SALDAR UNA DEUDA

**80** El hecho de tener una deuda pendiente no siempre es signo de falta de responsabilidad; en ocasiones nos podemos ver en la situación de tener que hacer frente a un gasto inesperado y urgente, y la única salida posible es pedir el dinero prestado. Si luego nos resulta imposible devolverlo en el tiempo acordado, la suma de los intereses o penalizaciones nos ocasionará una pérdida. Este hechizo es para conseguir los fondos para saldar una deuda. Puede hacerlo quien la haya contraído o una persona que quiera ayudarle.

En ocasiones, ya sea por falta de trabajo, por negocios que salieron mal, por tener que hacer frente a una enfermedad o a cualquier otro gasto que no habíamos previsto, no podemos saldar las deudas que hemos contraído aunque tengamos toda la intención de hacerlo cuanto antes.

Si bien hay personas a las que no les preocupa demasiado deber dinero a los demás, las deudas suelen quitar el sueño ya que, con ellas, se deteriora la propia imagen y eso hace que tengamos menos crédito y fiabilidad ante los demás.

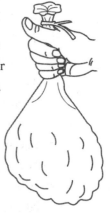

La mejor manera de no endeudarse es no gastar el dinero antes de haberlo recibido; limitar al menor número posible los créditos que se soliciten y tener paciencia para adquirir todo lo que se desea. El objeto de este hechizo es saldar una deuda económica pendiente, contar con los recursos necesarios para obtener el dinero cuanto antes. El ritual puede realizarse a cualquier hora del día, pero es preferible que se efectúe en martes o viernes. También es posible hacerlo para favorecer a otra persona que esté pasando por un bache económico.

## ELEMENTOS NECESARIOS

Una hucha pequeña – Una vela amarilla o dorada – Una bolsa de pipas – Una bolsa de arroz – Varias ramas de menta fresca, con sus hojas (puede ser hierbabuena) – Una cinta amarilla – Lápiz y papel – Canela en polvo.

## RITUAL

- Encender la vela con cerillas.
- Introducir en la hucha una pipa de girasol diciendo: «Que la tierra me dé lo que necesito».
- Meter un grano de arroz, diciendo: «Ni mucho ni poco, sólo lo justo».
- Introducir una hoja de menta diciendo: «La serenidad me permitirá conseguir mi propósito».
- A continuación, seguir metiendo, siempre en el mismo orden, una pipa de girasol, un grano de arroz y una hoja de menta hasta que la hucha esté completamente llena.
- Cerrar la abertura de la hucha derramando sobre ella un poco de cera de la vela.
- Escribir en una tira de papel: «He conseguido reunir el dinero para» y, a continuación, el nombre de la persona o de la institución a la cual se le debe el dinero.
- Humedecer el papel con un paño húmedo, sin frotar para que no se borre el nombre, y espolvorear sobre él un poco de canela.
- Sujetar la tira de papel, con lo escrito hacia adentro, a la hucha. Atarlo con la cinta amarilla haciendo en esta siete nudos.
- Sellar los nudos con un poco de cera de la vela y enterrar la hucha. Puede ser dentro de un tiesto.

## PARA COBRAR UNA DEUDA

**81** Quienes realizan transacciones comerciales, quienes alquilan viviendas o un simple trabajador por cuenta ajena, pueden verse ante la desagradable situación de no poder cobrar el dinero que se les debe. Lamentablemente la justicia es lenta y entablar un litigio puede suponer gastos en abogados y procuradores, tiempo y malos momentos. Este hechizo sirve para cobrar una deuda, independientemente de cuál sea su origen. Debe hacerlo la persona interesada y en jueves.

Muchos comerciantes, dueños de viviendas que ponen en alquiler o personas que venden coches u otros objetos de valor, tienen la mala suerte de dar con personas que no cumplen con las obligaciones económicas que han contraído; que firman letras para comprar un producto o que se comprometen a pagar mensualmente un alquiler pero, tras un tiempo, dejan de hacerlo. Para quienes tienen muchos recursos esto puede no significar un grave deterioro en su economía, pero para quienes viven modestamente, el dejar de percibir esos ingresos a veces les crea inmensas dificultades o deudas que no tendrían por qué tener. Como precaución, antes de firmar cualquier tipo de contrato es recomendable asegurarse de que la persona con la que se va a cerrar el trato no está en ninguna lista de morosos y que no tiene otras obligaciones pendientes; esto no garantiza los futuros pagos pero, al menos, cierra las puertas a todos ellos que viven dejando tras de sí montones de deudas.

Este hechizo tiene por objeto cobrar una deuda pendiente, independientemente de cual sea su naturaleza. Puede tratarse de sueldos atrasados, alquileres, pagarés, etc. Deberá comenzarse en jueves.

## ELEMENTOS NECESARIOS

Papel y lápiz – Un limón – Un pomelo – Una botella – Una bolsa con piedras pequeñas – Una vela amarilla – Un paño negro.

## RITUAL

Esta ceremonia se deberá hacer a lo largo de varios días, hasta que la deuda sea cobrada. Es preferible realizarla más o menos a la misma hora.

- Encender la vela con cerillas.
- Escribir el nombre del deudor en una tira de papel y meterlo dentro de la botella.
- Exprimir el limón y el pomelo y mezclar ambos zumos.
- Echar dentro de la botella siete gotas de esta mezcla, un trozo de la cáscara del limón y otro de la del pomelo.
- Coger tres piedras e introducirlas en la botella cogiéndolas con la mano izquierda y pensando en el deudor. Cuando la piedra caiga, decir: «Tu deuda te amarga y te pesa; cuanto antes la pagues mejor te sentirás. No des el gusto a Satanás». A continuación, apagar la vela.
- Los días subsiguientes, encender la vela y echar otras tres piedras siguiendo las instrucciones del punto anterior.
- Una vez que la deuda haya sido cobrada, extender el paño negro sobre la mesa y vaciar en él el contenido de la botella.
- Encender nuevamente la vela y quemar en ella el papel con el nombre del deudor. Apagarla y ponerla junto con las piedras.
- Atar el paño y enterrarlo o dejarlo en un cruce de caminos.

## PARA CONSEGUIR UN CRÉDITO

**82** El ritmo de vida actual nos exige tener una serie de electrodomésticos que nos permiten ahorrar tiempo y esfuerzo. El ritmo de vida actual deja muy poco tiempo para el ocio y la familia, de modo que contar con estas herramientas no es un lujo sino una necesidad. Como su precio excede de la cantidad de dinero de la que mensualmente se dispone para gastos, su adquisición obliga a muchas familias a pedir la financiación del artículo que desea adquirir. El objetivo de este hechizo es conseguir que un banco, una financiera o un comercio acceda a conceder un crédito.

La vida en las grandes ciudades exige la adquisición de muchos elementos de los cuales, algunos son indispensables y otros no. Para quienes viven en las zonas residenciales y tienen su puesto de trabajo a varios kilómetros de distancia, por ejemplo, el uso de un vehículo propio puede proporcionarles una mayor calidad de vida ya que abrevia el tiempo de desplazamiento y permite más horas libres que pueden ser dedicadas al ocio o a la familia

Los electrodomésticos básicos (lavadora, aspiradora, lavavajillas, microondas, etc.) también ahorran muchas horas al ama de casa. Antiguamente, el trabajo que hacen estas máquinas se realizaba manualmente pero por lo general, las mujeres pasaban el día dedicadas a ello en tanto que hoy ejercen labores remuneradas fuera de su casa.

La compra de un coche o de un electrodoméstico, implica un desembolso que supera lo que cada familia tiene destinado para los gastos del mes, por ello lo más habitual es adquirir estos artículos mediante una financiación. Los bancos, las instituciones financieras o los grandes establecimientos comerciales ofrecen al cliente la posibilidad de adquirir el producto comprometiéndose a pagar mensualmente parte de su valor hasta haberlo completado. Al precio de compra se le suelen sumar los intereses.

La empresa que ofrece la financiación debe asegurarse que, quien recibe el préstamo, tiene un trabajo que le permita pagar mensualmente las cuotas de manera que, si el sueldo que se percibe no es suficiente, la solicitud de crédito es denegada.

Este hechizo se emplea para que una financiera, un banco o cualquier otra entidad acepte conceder un crédito o línea de financiación. Debe hacerse en día jueves por la persona interesada en conseguirlo.

## ELEMENTOS NECESARIOS

Un trozo de papel que tenga el logotipo o el nombre de la institución a la que se solicita el crédito – Un folio – Un bolígrafo – Pegamento – Una cucharada de arroz – Una cinta dorada o amarilla – Tres monedas doradas.

## RITUAL

- Escribir en el folio la palabra CONCEDIDO, todo con mayúsculas.
- Pegar debajo de estas palabras el trozo de papel que tenga el logo-

tipo o el nombre de la institución (puede ser la cabecera de un folleto, un recibo, etc.) y, a continuación o debajo, firmar.

- Pasar pegamento por toda la superficie del folio y, antes de que se seque, echar sobre él una cucharada de arroz.

- Una vez que el pegamento se haya secado, enrollar el folio formando un tubo.
Atar en su parte media la cinta dorada haciendo cinco nudos.

- Meter en el interior del tubo las
tres monedas, cerrando a continuación sus extremos para que
estas no se caigan.

- Enterrar el documento (puede ser en un tiesto) diciendo: «Hago una ofrenda a la Tierra porque sé que ella hará que se me conceda el deseo».

# PARA CONSEGUIR UNA HIPOTECA

**83** Una de las máximas prioridades del hombre es la vivienda; un lugar que pueda considerar como propio o de la familia. Debido al coste que tienen las construcciones, la única posibilidad que tiene una persona de comprarse una casa es mediante un crédito hipotecario: el banco le facilita el dinero para adquirirla, con intereses, recibiendo como garantía la construcción. Este hechizo tiene por objeto conseguir un crédito para comprarse una casa. Debe ser realizado por el comprador una vez que el préstamo haya sido solicitado.

El gasto más grande que toda persona hace a lo largo de su vida es la adquisición de una vivienda que, salvo muy pocas excepciones, tarda muchos años en pagar. La forma habitual para conseguirla es pedir un crédito hipotecario, que consiste en un préstamo con intereses por parte o la totalidad del valor de la vivienda, poniéndose la misma como garantía. La devolución del préstamo se pacta en cuotas y si el beneficiario no las paga, el banco se queda con la propiedad.

Como es muy alto el capital que el banco arriesga en estos préstamos, sólo conceden hipotecas a quienes, según estiman, no tendrán problemas en devolver el dinero; de ahí que muchas solicitudes sean denegadas.

Este hechizo se lleva a cabo con el fin de conseguir que un banco autorice un crédito hipotecario. Deberá efectuarse después de haber cursado la correspondiente solicitud y el oficiante deberá ser la persona que ha pedido el crédito. Conviene hacerlo en día jueves, a ser posible con la Luna en cuarto creciente.

## ELEMENTOS NECESARIOS

Papel y lápiz – Agua de azahar – Cinco piedras grandes – Un plato o una bandeja de metal – Una vela amarilla – Una moneda dorada – Una pizca de arena – Ramas de lavanda, seca – Un cordón dorado o amarillo.

## RITUAL

- En un rincón de la casa, poner la moneda en el suelo con la cara hacia arriba.
- Escribir en el papel el nombre de la institución a la que se ha pedido la hipoteca. Doblarlo para que ocupe el menor espacio posible y colocarlo sobre la moneda.
- Poner sobre estos dos objetos las piedras, de manera que formen una pirámide; es decir, cuatro formando la base y sobre estas, la quinta. Deberán tener, cada una, el tamaño aproximado de un puño. Salpicar sobre el conjunto un poco de agua de azahar.
- Encender la vela con cerillas y fijarla en la piedra que forma la punta de la pirámide derramando sobre esta un poco de cera.
- Echar sobre la vela una pizca de arena, procurando que la llama no se apague.
- Atar las ramas de lavanda con el cordón, acercarlas a la llama de la vela hasta que ardan y ahumar con ellas el altar que se ha construido al tiempo que se dice: «Por el poder del fuego, que lo que he pedido me sea concedido».
- Dejar que la vela se consuma y no retirar el altar hasta que se conceda la hipoteca. Una vez que esto suceda, dejar las piedras en un espacio al aire libre y guardar la moneda. Esta se deberá colocar en un rincón de la nueva casa, donde nadie la toque.

## PARA EVITAR UN EMBARGO

**84** El embargo es una medida decretada por un juez que tiene por objeto hacer que el acreedor reciba la totalidad o una parte del dinero que se le adeuda. Por lo general, tanto este como el acreedor evitan llegar hasta este punto ya que la venta de los artículos embargados no siempre cubre la deuda total y todo el procedimiento es largo y tedioso. El objetivo de este hechizo es evitar un embargo. El ritual deberá ser efectuado por el deudor, preferiblemente por la noche.

Todo acreedor tiene el derecho de presentarse ante los tribunales competentes para reclamar judicialmente el pago de las deudas. Si el deudor no tiene dinero para hacer frente a los compromisos contraídos, el juez puede decretar el embargo de sus bienes para que, con el acreedor reciba lo que se le adeuda del dinero conseguido con su venta.

Para efectuar esta medida, se presentan en el domicilio o en el negocio del deudor los tasadores, que son quienes van a determinar el precio básico que se puede solicitar por sus pertenencias. Por lo general, como son bienes usados, de segunda mano, este precio suele ser muy bajo lo cual significa una pérdida importante para el deudor.

Los embargos también se emplean para restituir a los vendedores aquellos artículos costosos que no han sido pagados por el cliente (un coche, maquinaria industrial, motocicletas, etc.).

Este hechizo se realiza con el fin de evitar un embargo; ya sea mediante la refinanciación de la deuda o consiguiendo el dinero necesario para saldarla. Deberá realizarlo el deudor, en cualquier día de la semana y por la noche.

## ELEMENTOS NECESARIOS

Dos folios – Lápiz o bolígrafo – Un puñado de sal gorda – Siete hojas de ruda – Una vela amarilla y otra marrón – Un limón, lo más verde posible – Una varilla de incienso de sándalo – Una cinta amarilla – Una caja de madera, con tapa (puede ser una de las clásicas cajas de puros) – Una piedra negra y otra blanca, del tamaño de una nuez pequeña – Una rama de canela – Un vasito de aguardiente – Tijeras – Un cuchillo.

## RITUAL

- Encender la vela marrón con cerillas.
- Escribir en un folio la lista de todos los bienes que puedan ser embargados, procurando que ocupe el menor espacio posible.
- Finalizada la lista, recortar el papel sobrante.
- Practicar con el cuchillo un agujero de 2 cm de diámetro en la parte superior del limón.
- Enrollar la lista que se ha escrito y meterla dentro del limón, diciendo: «No conseguirás lo que obtuve con mi esfuerzo».
- Tapar el limón con la piedra negra y apagar la vela marrón.
- Encender la vela amarilla y el incienso de sándalo.

- Hacer la misma lista en el otro folio y enrollarla de modo que guarde en su interior la rama de canela. Si por su longitud no cupiera en la caja de madera, volverla a desplegar y recortar el papel sobrante.
- Una vez que se ha guardado la lista en la caja, echar sobre ella las siete hojas de ruda.
- Poner en la caja la piedra blanca diciendo: «Conjuro a los poderes de la Tierra para que me ayuden a saldar mis deudas».
- Verter sobre el papel el aguardiente al tiempo que se dice: «Conjuro a los poderes del Fuego para que nadie me quite lo que es mío».
- Atar la caja con cinta amarilla.
- Enterrar el limón (puede ser en un tiesto) y guardar la caja en un rincón donde nadie la toque.

## PARA AGILIZAR EL COBRO DE UNA HERENCIA

**85** El cobro de una herencia puede ser retrasado por una gran variedad de motivos entre los que caben mencionar la falta de acuerdo entre los herederos a la hora de poner precio a las propiedades, los trámites judiciales necesarios para su adjudicación y, en general, la toma de una serie de decisiones entre personas que tienen sus propios intereses y objetivos, a menudo diferentes de los del resto de los beneficiarios. Este hechizo se realiza con el fin de agilizar el cobro de una herencia. Pueden efectuar el ritual cuantas personas lo deseen, ya sea individualmente o colectivamente.

El reparto de una herencia, en muchas ocasiones, suele crear una gran desavenencia en la familia. Por lo general esta se produce por la intervención de los parientes políticos que intentan defender los derechos de sus cónyuges. Pero este no es el único inconveniente que puede generar trastornos y retrasos en el cobro de los bienes; si hay propiedades a repartir, es posible que estas deban venderse primero, lo cual significa que, quienes tienen una mayor urgencia económica acepten ofertas más bajas y que quienes tengan un buen pasar prefieran esperar el tiempo que sea necesario antes que malvender. Un juicio sucesorio implica gastos de abogados y pagos de impuestos, por ello antes de cobrar una herencia, generalmente debe realizarse un desembolso de dinero del que no siempre se dispone. El objetivo del ritual que se explica en este punto es agilizar el cobro de una herencia. Puede hacerlo cualquiera de sus herederos, sea individualmente o junto con otros que estén en su misma situación. No apunta a recibir una mayor cantidad de dinero sino,

solamente, a lograr la venta de las propiedades si eso fuera necesario, o a acelerar los trámites judiciales correspondientes.

## ELEMENTOS NECESARIOS

Un ramo de flores – Un jarrón – Una vela blanca – Una foto de la persona que ha fallecido – Un marco para fotos que no haya sido utilizado previamente – Tres monedas doradas – Tres pétalos de rosa – El perfume de la persona fallecida (o, en su defecto, el jabón que empleara).

## RITUAL

- Poner la foto en el marco y, antes de cerrarlo, derramar unas gotas de perfume en las esquinas (o pasar la pastilla de jabón sobre ellas, para que se impregnen con su olor).
- Derramar en la parte posterior de la foto, tres gotas de cera de la vela y pegar en cada una de ellas una moneda dorada y decir pensando en el fallecido: «Ayúdame a conseguir lo que tú me has dejado».
- Derramar otras tres gotas y pegar en ellas los tres pétalos de rosa, al tiempo que se dice: «Agradezco de corazón todo lo que me has dado».
- Cerrar el marco; colgarlo en una pared o ponerlo sobre una mesa, escritorio, etc.
- Colocar el ramo de flores en un jarrón y situar este delante de la foto. Estas flores deberán cambiarse por otras nuevas a medida que se marchiten.
- Una vez cobrada la herencia, siempre y cuando fuera posible, llevar un ramo de flores a la tumba de la persona fallecida en señal de agradecimiento.

## PARA EVITAR ROBOS

**86** El índice de delitos que se cometen a diario en todo el mundo parece ir en aumento. Vivimos en una sociedad competitiva, que impulsa al ciudadano al consumo constante, que genera envidia y competencia y en la que los valores tradicionales parecen estar fallando cada vez más. En algunos países y, dentro de estos, en algunas ciudades, los habitantes se ven constantemente expuestos al hurto y al robo; sobre todo los comerciantes o trabajadores que mueven constantemente dinero. Este hechizo tiene como fin proteger el hogar o el negocio de la entrada de ladrones. Deberá hacerlo el propietario o cualquier persona que trabaje o viva en ellos.

Quienes tienen comercio propio saben muy bien que están constantemente expuestos, cuanto menos, al hurto de sus mercancías. Algunos sectores, entre los que se pueden citar el de joyeros y el de taxistas, suelen enfrentarse a un hecho peor que es el robo con violencia.

Sin analizar los diferentes motivos sociales que propicien estos delitos, lo cierto es que en la actualidad, hay barrios en los cuales los vecinos deben protegerse con todo tipo de dispositivos para evitar que bandas organizadas entren en sus casas, a veces haciendo gala de una extrema violencia. Lamentablemente, en la misma medida en que los equipos y sistemas de seguridad se hacen más sofisticados, estos delincuentes profesionales aprenden a burlarlos, con lo cual el grado de seguridad del ciudadano es vulnerable.

Este ritual tiene por objeto proteger a cualquier persona de hurtos y robos; puede hacerse con el fin de brindar una mayor seguridad a un negocio o bien para evi-

tar que se cometan estos delitos en el propio hogar. Deberá llevarse a cabo en martes, preferiblemente de noche. Huelga decir que si bien este hechizo servirá de protección, no por ello hay que descartar los tradicionales métodos que impidan la entrada de ladrones.

### ELEMENTOS NECESARIOS

Un limón por cada una de las aberturas hacia el exterior que tenga la casa (puertas, ventanas o chimeneas) – Siete clavos de unos 4 cm por cada limón que se necesite – Un trozo de cinta blanca, de unos 25 cm por cada limón – Una vela roja.

### RITUAL

- Cortar la punta de la vela de forma que termine y empiece recta.
- Con una cerilla, derretir un poco la cera en el lugar del corte, a fin de pegarla a una superficie plana; de este modo, quedará con la parte inferior hacia arriba.
- Encender la vela al revés.
- Clavar en cada uno de los limones un clavo en su parte superior y otro en su parte inferior de manera que sobresalgan unos 2 cm de la superficie del fruto.
- Atar una de las cintas en la parte media de cada limón con cinco nudos y echar sobre estos una gota de cera de la vela.
- Clavar alrededor de la cinta cinco clavos, a fin de sujetarla, sin que estos se entierren completamente en el limón.
- Colgar cada uno de los limones en una de las aberturas al exterior que tenga la casa. En las ventanas, se pueden poner tras las cortinas a fin de que estas los tapen.

## LOS HECHIZOS RELACIONADOS CON EL TRABAJO Y LOS ESTUDIOS

**87** El trabajo permite obtener los medios suficientes para asegurar la propia subsistencia así como la de la familia; ese es su fin primordial. Pero también gracias a él obtenemos seguridad, satisfacción, estabilidad emocional, autoestima y creatividad ya que nos impulsa hacia la superación personal.

Por esta razón, si no se realiza en condiciones favorables y si la empresa no cumple con unos requisitos mínimos, lo que produce es malestar, frustración, estancamiento y desequilibrio interior. Los hechizos de esta sección tienen por objeto conseguir las mejores condiciones posibles de trabajo y, también, el éxito en los estudios.

La mayoría de la gente, pasa una media de ocho horas diarias de trabajo, excepto los fines de semana; es decir que casi un tercio de nuestra vida lo dedicamos a conseguir los medios para alimentarnos y cobijarnos; para poder pagarnos el techo y la comida, amén del vestido y aquellos objetos que nos facilitan las tareas y nos ahorran tiempo.

Quienes estudian a fin de prepararse para ingresar en la vida laboral, dedican una cantidad de tiempo similar al aprendizaje de conceptos y técnicas. Dada la cantidad de horas que nos llevan estas dos ocupaciones que, por lo general, desarrollamos fuera de las paredes de nuestro hogar, es sumamente importante que las desarrollemos bajo las mejores condiciones posibles. Lamentablemente, no siempre es así: a veces nos toca trabajar en ambientes altamente competitivos en los que no nos sentimos cómodos; en otras, la retribución que recibimos por nuestra labor es notoriamente inferior a la que merecemos por los servicios que prestamos;

también es habitual que la falta de posibilidades de promoción nos haga sentir estancados y nos impida motivarnos adecuadamente.

En el trabajo se convive con personas de diferente origen, ideas, formas de ver la vida y objetivos con las cuales se realiza una tarea en común. Allí se generan relaciones cordiales o tensas; se encuentran amigos y compañeros leales pero, también, personas que intentan deslucir nuestra labor, con el fin de que la suya sea considerada mejor o más importante. En gran medida, la armonía entre los trabajadores de una empresa depende de quienes ocupan los puestos de mayor jerarquía; de quienes ostentan la autoridad. Si estos son justos y ecuánimes, las fricciones serán mínimas pero si son arrogantes, soberbios o injustos, el clima de trabajo estará viciado y nadie se sentirá a gusto.

Con respecto a los estudios quizás haya menos factores externos relacionados con la institución donde los cursamos que incidan en nuestro éxito o fracaso; sin embargo, la aprobación o suspenso de un examen a veces poco o nada tiene que ver con los conocimientos que hemos podido acumular y mucho con el estado de ansiedad o nervios que tengamos en ese momento. Si tenemos un problema personal que no podemos quitarnos de la cabeza, por ejemplo, es muy posible que nuestro rendimiento sea muy inferior al que hubiéramos podido tener en caso de que nuestra mente estuviera sólo centrada en aprobar el examen. El mismo miedo al fracaso, a la posibilidad de no estar a la altura de las expectativas que puedan tener nuestros padres, nos produce una intensa inseguridad a la hora de responder a las preguntas de un profesor. Los hechizos que se explican en los siguientes puntos tienen por objeto conseguir la mejor situación de trabajo posible.

## PARA APROBAR UN EXAMEN

**88** Para obtener una buena calificación en un examen no es suficiente haber aprendido la materia; también es necesario haber ejercitado la capacidad de expresión, saber controlar la ansiedad desde el momento en que comience la prueba, tener seguridad en uno mismo y haber eliminado todos los pensamientos negativos que auguran un fracaso. Este hechizo tiene por objeto producir un estado interior óptimo para enfrentarse a un examen y deberá ser realizado por la persona que se vaya a examinar.

Los exámenes son pruebas destinadas a verificar los conocimientos que se tienen acerca de una materia. Sin embargo, para aprobarlos, el haber estudiado y fijado los conocimientos no siempre resulta suficiente porque eso hay que demostrarlo.

Aprobar un examen requiere una serie de habilidades que no todos han desarrollado. Quienes saben expresar con claridad sus ideas, por ejemplo, tienen mayores probabilidades de aprobarlo, que aquellos a los que les resulta difícil comunicar lo que piensan o lo que saben. Hay personas que, ante las situaciones de estrés, se quedan completamente en blanco y aunque sus conocimientos sean suficientes para obtener un aprobado, deben destinar mayores energías mentales a tranquilizarse que a elaborar las respuestas.

Hay varias recomendaciones que pueden resultar útiles a la hora de examinarse; entre otras, se pueden citar la ingesta de azúcares (el principal alimento del cerebro); abstenerse de hacer una comida abundante en las dos horas previas de la prueba a fin de no disminuir la oxigenación cerebral a causa de la digestión; contestar en primer lugar las preguntas que resulten más fáciles; o el dormir las horas suficientes la noche previa al examen.

Este hechizo tiene por objeto aprobar un examen. Naturalmente, no funcionará en caso de no haberse estudiado la materia; su objetivo es permitir que quien lo realice se encuentre en un estado de máxima lucidez, libre de nervios y ansiedades. Deberá realizarse dos días antes de que tenga lugar el examen, por la noche.

## ELEMENTOS NECESARIOS

Dos hojas de salvia – Una llave que no tenga uso – Un cordón azul – Cinco velas azules – Una varita de incienso de almizcle – Cinco granos de café – Una tiza blanca – Una tela azul de 50 x 50 cm.

## RITUAL

- Trazar en el paño, con la tiza, una estrella de cinco puntas y disponer en cada una de ellas una vela azul (puede utilizarse un platito pequeño o un vaso para que estas puedan mantenerse erguidas).
- Poner en el centro de la estrella la vara de incienso y encenderla también.
- Situar junto a la vela los cinco granos de café, las hojas de salvia, el cordón y la llave.
- Coger el cordón y pasarlo por el ojo de la llave; acercarlo al incienso para que se impregne con su humo y decir: «Por el poder del fuego, que esta llave guarde mis conocimientos».

- Coger los granos de café y las hojas de salvia, pasarlos por el humo del incienso y decir: «Por el poder de la tierra, que mi sentido práctico me guíe».
- Apagar las velas y dejar que el incienso se consuma. Una vez que se haya apagado, retirar las velas, tomar el paño por sus cuatro puntas y dejarlo, con todos los elementos que contiene, al aire libre durante dos noches.
- El día del examen, poner una hoja de salvia dentro de cada zapato. Atarse el cordón con la llave al cuello y llevar en un bolsillo los granos de café.

# PARA APROBAR UNA OPOSICIÓN

**89** La inseguridad laboral, el miedo a perder el puesto de trabajo, es un factor que puede crear una permanente tensión psicológica en el trabajador, estropeando su calidad de vida. Quienes trabajan para el estado, no sufren estos problemas ya que saben que, salvo en rarísimas excepciones, tendrán todos los meses un sueldo con el cual mantenerse a sí mismos y a sus familias. Por esta razón las plazas que se ofrecen son muy solicitadas y los exámenes para acceder a ellas, difíciles. Este hechizo tiene por objeto aprobar una oposición. Debe hacerlo la persona interesada y en miércoles.

Los trabajos para el estado tienen, por lo general, una serie de ventajas y la primera de ellas es la seguridad que ofrecen los puestos ya que son muy excepcionales los casos en los que un funcionario es despedido injustificadamente. Gracias a esta peculiaridad, estos trabajadores pueden conseguir que los bancos les concedan créditos más fácilmente que a quienes desarrollan su labor en empresas privadas. Otro de los beneficios de los funcionarios es la posibilidad de pedir una excedencia y dedicar ese tiempo a desarrollar otras labores o a estudiar sin, por ello, perder su puesto. Estas ventajas, sumadas a muchas otras, hacen que las plazas que se convocan cada tanto sean solicitadas por un gran número de personas.

Los puestos se conceden por medio de las oposiciones; los candidatos deben realizar pruebas en las que demuestren sus capacidades y el organismo que las organiza selecciona, de entre todos ellos, los que han sacado mayor puntuación. Eso requiere, en algunos puestos, una preparación que puede llevar dos o tres años de estudios.

El objeto de este ritual es ganar una oposición; obtener una plaza como funcionario en las mejores condiciones posibles. Deberá realizarlo la persona que se quiera presentar al examen, en miércoles.

## ELEMENTOS NECESARIOS

Un bolígrafo nuevo, que nunca haya sido utilizado – Dos plumas de cualquier ave – Una taza de café, bien cargado – Una rama de laurel – Una cinta azul oscuro – Un billete de curso legal (puede ser de cualquier valor) – Dos velas azules.

## RITUAL

- Encender las dos velas, con cerillas.
- Preparar una taza de café bien cargado y sin azúcar, y sumergir en ella las dos plumas de ave diciendo: «Que el poder del aire y de la tierra me infundan sabiduría».
- Formar un ramillete con la rama de laurel, el bolígrafo y las dos plumas. Enrollar a su alrededor el billete y atar el conjunto con un trozo de cinta azul. Hacerle cinco nudos.
- Poner el ramo en un lugar al aire libre, sujetándolo con algún peso para que no se lo lleve el viento. Dejarlo allí durante toda la noche.
- Al día siguiente, retirar las dos plumas de ave y guardarlas en el interior del libro o de los apuntes que se estén estudiando para el examen. Si fuera necesario consultar otros libros, cambiar las plumas a estos. Esta operación deberá hacerse hasta el día fijado para la prueba.
- Guardar el bolígrafo debidamente identificado y no utilizarlo para otra cosa que no sea el mismo examen o algún documento relacionado con él.

## PARA CONSEGUIR EL PRIMER TRABAJO

**90** Los jóvenes, que nunca han trabajado, a menudo imaginan que las empresas necesitan gente altamente capacitada y que ellos no tienen los conocimientos suficientes como para ser contratados. Esta idea negativa les lleva a creer que no van a conseguir ningún empleo y, por eso, a veces ni siquiera lo intentan. El hechizo que se explica en este apartado tiene por objeto conseguir un primer trabajo, aunque también puede hacerlo cualquier persona que, sin tener mucha experiencia laboral, necesite ser contratada.

Cuando llega la edad de ponerse a trabajar, muchos jóvenes se sienten entusiasmados y buscan con ahínco un puesto en el que puedan desempeñarse. Sienten una gran curiosidad por conocer el mundo laboral, por ganar su propio sueldo, por poner en práctica su ingenio, destreza y conocimientos. Otros, sobre todo aquellos que tienen una baja autoestima, viven este momento con angustia ya que piensan que no van a saber desenvolverse o que no están lo suficientemente capacitados. Esta imagen pobre de sí mismos, sumada a los comentarios negativos que oyen de boca de padres y amigos acerca de su situación laboral, les merma la motivación para encontrar un empleo y les bloquea a la hora de hacer todo lo posible para que una empresa les contrate. A esta situación difícil se debe añadir la frustración que pueden sentir al haber mandado todos los currículos posibles y que, no obstante, nadie les haya llamado para hacerles una entrevista.

Por lo general, quienes han conseguido trabajar alguna vez, aunque sea por poco tiempo, han aprendido que en los puestos no se necesitan

genios sino personas dispuestas a aprender y a respon-
sabilizarse de sus tareas; que en el fondo, ser un trabajador competente, estimado por la empresa, no es algo
tan difícil como ellos imaginan.

Este hechizo tiene por objeto conseguir el primer
empleo. Es posible que, como resultado, quien lo
haga consiga un trabajo temporal, pero aun así no
debe ser rechazado ya que será muy útil como experiencia. El ritual deberá hacerlo el interesado, preferiblemente en miércoles.

## ELEMENTOS NECESARIOS

Una vela azul y una amarilla – Un objeto que represente una herramienta propia del trabajo a que se aspira (si se quiere trabajar como
mecánico, por ejemplo, puede ser un destornillador; si es como modis-
ta, una aguja o un trozo de hilo, etc.) – Una moneda plateada y una dorada – Un paño amarillo (puede ser una servilleta, un pañuelo o un
simple trozo de tela, cuadrado).

## RITUAL

- Calentar un poco la moneda plateada y pegarla en la base de la vela
  azul.
- Hacer otro tanto con la moneda dorada y pegarla en la vela amarilla. Disponer ambas sobre una superficie sólida o en dos vasos para
  que se mantengan erguidas.
- Poner sobre el mantel la vela azul a la izquierda y la amarilla a la derecha.

- Colocar entre paño la herramienta que represente el trabajo que se quiere desempeñar.
- Encender la vela azul, al tiempo que se dice: «Mi presente es oscuro pero busco la luz».
- Encender la vela amarilla, diciendo: «El trabajo me será concedido porque así lo deseo».
- Una vez que ambas velas se hayan consumido, despegar las monedas de la cera, guardar lo que se haya empleado para simbolizar la herramienta y dejar los restos de las velas en un cruce de calles o caminos.
- Cuando se vaya a una entrevista de trabajo, poner la moneda plateada dentro del zapato izquierdo y la dorada dentro del derecho, con la cara hacia arriba y llevar en un bolsillo la herramienta que se ha empleado en el ritual.

## PARA CONSEGUIR UN BUEN PUESTO

**91** Cada persona debería aspirar a conseguir un puesto de trabajo en el que se sienta cómoda, en el que se pueda realizar profesionalmente. Lógicamente, esto difícilmente se logra en el primer empleo; por lo general, la mayoría no tiene la suerte de encontrar aquello para lo que se siente más capacitada y debe optar, al menos temporalmente, por aceptar empleos en los cuales no tiene mayores posibilidades de crecimiento. Este hechizo se realiza con el fin de conseguir un buen puesto de trabajo y deberá hacerlo la persona interesada.

El paro es un problema que afecta a casi todos los países. Cada día aparecen menos ofertas de empleo y más demandas. Ante esta situación, quienes necesiten trabajar a veces se ven obligados a desempeñarse en puestos en los cuales no pueden poner en práctica las capacidades que han adquirido mediante estudios o experiencias anteriores, cobrando por ello un salario muy inferior al que podrían percibir en otro tipo de actividades, más acordes a sus conocimientos.

Los puestos de trabajo que podrían ser considerados «buenos» no son sólo aquellos en los que el sueldo es justo o la categoría es alta sino, también, los que permiten el crecimiento personal. A veces, el percibir un buen salario en una empresa que quede a muchos kilómetros del hogar, no resulta rentable ya que impide un mayor contacto con la familia y una gran pérdida de tiempo en viajes. Un sueldo poco estimulante puede ser aceptado si la empresa contratante propone, a cambio, hacer cursos de capacitación u ofrece claras posibilidades de promoción en un futuro. Por eso, antes de aceptar o rechazar cualquier oferta, es necesario tener en cuenta muchos detalles y guiarse sólo por los propios deseos y no por los comentarios que pudieran hacer otras personas al respecto. La finalidad de este hechizo es conseguir un puesto de trabajo acorde con las necesidades y gustos de quien lo realice. Deberá llevarse a cabo en martes.

## ELEMENTOS NECESARIOS

Un ovillo de lana amarillo oscuro – Siete argollas de metal – Un trozo de cinta roja, de unos 40 cm – Siete espigas de trigo – Una vela amarilla o dorada – Una varita de incienso de almizcle – Un vaso de agua – Un billete de curso legal – Un clavo.

## RITUAL

- Encender la vela con cerillas.
- Forrar cada una de las argollas con la lana amarilla, procurando que el metal quede completamente tapado por la misma. Si fuera necesario, pasar dos vueltas.
- Una vez que las argollas estén forradas, atarlas entre sí de modo que formen una cadena.
- Entrelazar la cinta roja en la cadena que se ha formado haciendo un nudo en la primera argolla y otro en la última para mantenerlas fijas.
- Atar al final de la cinta las siete espigas de trigo.
- Encender la vara de incienso y pasar por el humo que desprende el objeto que se ha fabricado, diciendo: «Sólo pido a las Fuerzas Superiores la ocasión de dar lo mejor de mí mismo».
- Colgar la cadena de un clavo, preferiblemente detrás de la puerta del dormitorio, de manera que queden las espigas hacia abajo.
- Poner, debajo de la cama un billete y, sobre él, un vaso con agua. Esta deberá renovarse el último día del mes.

## PARA CONSEGUIR UN TRASLADO DE DEPARTAMENTO

**92** Hay muchas razones que pueden motivar una petición de traslado a otro departamento. Sin embargo no siempre es fácil conseguir que la empresa acepte estas propuestas ya que, si tiene una persona preparada para ejercer una labor, no estima rentable reemplazarla por otra que deba ser entrenada. Este hechizo facilita la aceptación de traslado de departamento y deberá hacerlo la persona interesada antes de haberlo solicitado.

Los motivos por los cuales una persona pueda querer cambiar de departamento en una empresa son muy variados: en ocasiones, este deseo surge ante una relación deficiente o tensa con su jefe o con los compañeros; en otras, debido a que las tareas que se realizan ya no representan ningún desafío, se han tornado monótonas lo cual produce una profunda desmotivación.

La petición de traslado a otro departamento dentro de la misma compañía no siempre es contemplada con buenos ojos por parte de quienes la dirigen. Por una parte, porque suponen una desestabilización para el departamento y, por otra, porque tienen que suplir a quien hace su trabajo a la perfección gracias a la experiencia que ha adquirido por otro al que se le debe enseñar. Así, los trabajadores que han mostrado ser los más eficaces en los puestos que desempeñan, en lugar de ser premiados con el consiguiente pase a otros donde puedan sentirse más cómodos, son obligados a permanecer en un lugar donde ya no se sienten cómodos. Este ritual sirve para conseguir un traslado que aún no ha sido solicitado. Deberá ser realizado por el interesado, preferiblemente en lunes.

## ELEMENTOS NECESARIOS

Un billete de transporte que no haya sido utilizado (puede ser de metro, de autobús, tren, etc.) – Una vela amarilla y otra blanca – Un sello de correos – Un sobre blanco, pequeño – Un folio y un bolígrafo – Una hoja de perejil – Una vara de incienso de almizcle.

## RITUAL

Para conseguir un billete de autobús que no haya sido utilizado se puede subir al vehículo, pedirlo y, tras pagarlo, preguntar al conductor si va hacia un lugar donde, de antemano, se sepa que el autobús no llega. Eso dará la excusa para bajarse inmediatamente.

- Encender la vela amarilla y el incienso.
- Escribir una nota en la que se comunique el traslado a otro departamento, como si la hubiera redactado la empresa en la que se trabaja.
- Poner la hoja de perejil sobre el folio, doblarlo y meterlo dentro del sobre. Escribir en este el propio nombre y dirección, y pegarle el sello.
- Meter el billete de transporte dentro del sobre y cerrarlo. Sellarlo por detrás con una gota de cera de la vela amarilla.
- Pasar la carta así preparada por el humo del incienso diciendo: «Por el poder del Fuego, lo que pido se hará realidad». A continuación, echarla al buzón.
- Una vez que esta carta sea recibida, guardarla sin abrir hasta que se confirme el traslado.
- Encender la vela blanca, dar las gracias y quemar en ella el billete de transporte.

## Para conseguir una jubilación anticipada

**93** El sueldo que todo trabajador recibe de la empresa donde desarrolla su labor se incrementa según los años que lleva trabajando para ella. Para rejuvenecer la plantilla y ahorrar costes, muchas compañías optan por ofrecer una jubilación anticipada a cambio de una indemnización y de un recorte en su pensión hasta que alcancen la edad necesaria para jubilarse que marca la ley. De este modo, pueden contratar en su lugar personas más jóvenes, que perciben sueldos más bajos, lo cual supone un ahorro para estas compañías. El hechizo que aquí se explica tiene por objeto pactar con la empresa una jubilación anticipada.

La jubilación es una pensión que cobran aquellos trabajadores que, habiendo cotizado a la Seguridad Social durante un número de años, alcanzan una cierta edad. Tanto esta como los años de trabajo que se exigen para poder recibirla, varían según las leyes de cada país.

En los últimos años, debido a diversos factores económicos entre los que se podría incluir el aumento del paro, las empresas han encontrado un medio efectivo para renovar sus plantillas y, a la vez, reducir sus gastos: es la jubilación anticipada. Mediante este sistema, hay compañías que ofrecen a los empleados que están próximos a alcanzar la edad requerida para jubilarse, la posibilidad de hacerlo a cambio de una indemnización y de un descuento en las pensiones que cobren hasta haber alcanzado la edad para jubilarse que fija la ley. Esta medida permite una renovación de las plantillas, la inserción en el mercado laboral de los más jóvenes o el recorte del número de trabajadores de una empresa con el consiguiente ahorro en costes. También evi-

ta que la persona que ha brindado años de servicio a dicha empresa, se vea en la calle, sin protección alguna y sin posibilidades de encontrar un nuevo empleo debido a su edad. Este hechizo sirve para conseguir una jubilación anticipada; deberá realizarlo la persona interesada, en jueves.

## ELEMENTOS NECESARIOS

Una cinta de raso azul, de unos 30 cm – Una piña (de pino) abierta – Una vara de incienso de pino – Una copa de aguardiente – Una libreta pequeña, con pocas hojas y nueva.

## RITUAL

- Encender la vara de incienso, con cerillas.
- Mojar el dedo índice de la mano derecha en el aguardiente, trazar con él una cruz en la primera hoja de la libreta diciendo interiormente: «He cumplido».
- Continuar haciendo lo mismo con las restantes hasta llegar a la tapa inferior.
- Arrancar una a una las hojas de la libreta, arrugarlas en forma de bolitas lo más pequeñas posible e insertarlas sobre las brácteas de la piña, en el lugar que ocuparía el piñón, diciendo: «Que los seres del Mundo Superior me recompensen por mi trabajo».
- Si en la libreta quedaran hojas, atarla con una cinta azul y enterrarla (puede ser en un tiesto).
- Llevar la piña así preparada al trabajo (puede envolverse previamente en un trozo de papel o en un paño para que no sea visible) y dejarla en uno de los cajones del escritorio o en cualquier otro lugar donde se guarden las propias pertenencias.

## PARA PODER REALIZAR EL TRABAJO DESDE CASA

**94** El trabajo a distancia supone grandes ventajas, tanto para el empleado como para la empresa. Entre las más importantes para el primero, pueden citarse la posibilidad de pasar más tiempo con su familia, la gestión del propio tiempo, el desarrollar la labor en un entorno más acorde a sus gustos y el ahorro de dinero en transportes. Este ritual tiene por objeto conseguir que una empresa, ya sea aquella en la cual desempeña en el presente quien lo realice o bien otra, acepte formalizar un contrato que permita el trabajo a distancia.

Con el desarrollo de las nuevas tecnologías, hoy es posible conseguir un contrato que permita realizar el trabajo pactado desde el domicilio particular y, aunque esta modalidad aún no está lo suficientemente extendida, cada vez son más las empresas que la adoptan ya que, con ello, ahorran los gastos que supone disponer de un espacio físico y bien acondicionado para que en él se instale el trabajador.

Diversos estudios han constatado que el trabajo a distancia resulta rentable tanto para el trabajador como para la empresa. El primero tiene como ventajas una mayor flexibilidad y autonomía; un menor estrés; una mejor comunicación con su familia; amén de un horario más flexible y el ahorro de tiempo y dinero en transportes. Entre los beneficios de la empresa caben citar el aumento de la productividad ya que se trabaja con objetivos, la eliminación del absentismo laboral y la posibilidad de contar con empleados de alto nivel que vivan en lugares distantes.

Debido a que aún no es fácil conseguir un trabajo de esta naturaleza se ofrece este ritual que tiene por objeto ser contratado por una empresa bajo esta modalidad. Deberá realizarse en sábado y en la habitación que se destinaría para trabajar en caso de poder hacerlo a distancia (puede ser un dormitorio, el comedor, etc.)

## ELEMENTOS NECESARIOS

Una cucharadita de clavos de olor – Un pomelo – Cuatro velas anaranjadas – El hueso o pipa de alguna fruta (manzana, cereza, melocotón, etc.) – Cinta adhesiva – Un poco de miel.

## RITUAL

- Frotar cada vela con un poco de miel y disponerlas formando un cuadrado sobre la mesa en la que se desee trabajar.
- Colocar en el centro del cuadrado el hueso o pipa del fruto escogido y el pomelo. Encender las velas.
- Poner en cada uno de los rincones de la habitación elegida un clavo de olor diciendo: «Aquí me quedo, desde aquí, trabajo».
- Cortar el pomelo en dos mitades y frotar con cada una la suela de los zapatos que se usarán el día siguiente para ir a trabajar, para asistir a una entrevista de empleo o en el momento en que se manden currículos por mail.
- Cuando la vela se haya consumido, pegar con cinta adhesiva la pipa o el hueso debajo de la mesa que, en un futuro, se utilizaría para trabajar (aunque también se emplee para otras cosas).

## PARA SUPERAR CON ÉXITO UNA ENTREVISTA DE TRABAJO

**95** En las entrevistas de trabajo, más que valorar los conocimientos que ya se conocen por haberse recibido un currículo, lo que más se observan son las características personales del candidato. La buena presencia, la simpatía y la seriedad son las armas que pueden conquistar a un entrevistador. El hechizo que aquí se explica tiene por objeto salir airoso de una entrevista de trabajo. Deberá llevarlo a cabo el interesado.

Cuando una empresa decide conceder una entrevista de trabajo después de haber leído el currículo del postulante es señal de que los datos que con él se han aportado han resultado convincentes; por lo tanto, mientras la entrevista sea celebrada, lo más importante no es señalar los méritos académicos porque, supuestamente, son conocidos por el entrevistador sino desplegar al máximo la capacidad de cautivarle.

El atuendo que se lleve a la cita puede ser determinante; hasta tanto no conocer la empresa, conviene vestir de modo formal y poco llamativo: la ropa debe estar impecablemente limpia y el maquillaje debe ser discreto.

Demostrar un exceso de seguridad no siempre es positivo ya que habitualmente los empleadores buscan personas que sepan adaptarse a sus normas y a su modo de hacer las cosas; quieren personas hábiles y capaces pero, también, dóciles. La naturalidad y sinceridad en las respuestas suele ser una baza a favor; es importante pensar que, cuanto más cómodo se sienta el entrevistador, mejor le caerá el postulante al puesto.

Una persona despierta, sin duda querrá saber algunos detalles acerca de la compañía en la que posiblemente trabaje, como podría ser el número de personas que prestan en ella sus servicios, su antigüedad, el tipo de productos que vende, etc. Estas preguntas pueden causar una excelente impresión en la persona que se encargue de hacer la selección de personal ya que demuestra que el interesado está atento a los detalles y se preocupa por conocer su entorno.

El hechizo que se explica a continuación sirve para superar una entrevista de trabajo, para causar una excelente impresión en quien realice la selección. Deberá iniciarse en un día en que la Luna esté llena o en cuarto creciente y continuarlo durante dos días más.

## ELEMENTOS NECESARIOS

Un cristal de cuarzo amatista – Un puñado de sal gorda – Un vaso de agua – Un vaso de alcohol – Un paño azul de 10 x 10 cm y otro amarillo, del mismo tamaño – Tres velas azules y tres amarillas – Una cinta amarilla.

## RITUAL

- Poner el cristal de cuarzo dentro de un vaso con alcohol, diciendo: «Que el poder del Fuego actúe sobre mi voluntad».
- Encender a su izquierda la vela azul y, a su derecha, la vela amarilla. Cuando las velas se hayan consumido, dejar el vaso con el cuarzo toda la noche al aire libre (por ejemplo, en el alfeizar de una ventana).

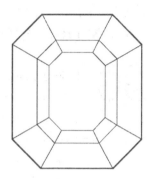

- Al día siguiente y más o menos a la misma hora, echar un puñado de sal dentro de un vaso de agua y removerlo bien.
- Sacar el cuarzo del vaso y ponerlo dentro del que tiene el agua diciendo: «Que el poder del Agua me confiera encanto y simpatía». Encender nuevamente dos velas (una azul a la izquierda y otra amarilla a la derecha del vaso). Cuando se hayan consumido, poner este al aire libre.
- Al tercer día encender una vela azul y otra amarilla y confeccionar un saquito con el trozo de tela azul.
- Sacar el cuarzo del agua con sal y, sin secarlo, envolverlo en el trozo de tela amarilla.
- Guardarlo dentro del saquito que se ha confeccionado y luego, cerrarlo con una costura.
- Coser la cinta al saquito que contiene el cuarzo y llevar este a la entrevista de trabajo colgado al cuello (también se puede llevar dentro de un bolsillo).

# PARA «ENTRAR CON BUEN PIE» EN UN TRABAJO

**96** La incorporación a un nuevo lugar de trabajo produce, junto con el entusiasmo, una gran ansiedad; no es fácil entrar en un terreno desconocido sin tener la garantía de saber manejarse correctamente en él. En las primeras semanas se vive un gran estrés y se procura aprender la forma de trabajo de la empresa lo antes posible, pero si se establece un buen contacto con los compañeros, si se hacen las preguntas oportunas en cada momento, este período de agobio se hará mucho más corto. El presente ritual se utiliza para facilitar los comienzos en un nuevo lugar de trabajo. Dentro de lo posible, deberá realizarse antes de comenzar la prestación.

El comienzo de un nuevo trabajo genera grandes expectativas; por una parte, se vive el entusiasmo que genera la posibilidad de conocer un nuevo ambiente, las ganas de demostrar la propia valía, etc. pero, por otra, el miedo ante lo desconocido y, sobre todo, a no saber desempeñarse.

La mejor manera de combatir estos pensamientos negativos es partir de la base que cada equipo de trabajo realiza las cosas a su modo. Los pasos que se siguen para obtener los objetivos no son siempre los mismos sino que difieren de una empresa a otra. Por esta razón, durante los primeros diez días conviene hacer todas las preguntas necesarias para resolver las dudas. Es preferible conocer primero la forma de trabajar de la empresa antes de poner en práctica la propia iniciativa. Las relaciones que se establezcan con los compañeros serán cruciales para acelerar o retardar la integración en el equipo. Lo primero que ha de hacerse al respecto es recordar sus nombres, categorías y labor que desempeñan. En los primeros días, no conviene rechazar las invitaciones para ir a comer o a desayunar, porque en estos encuentros los empleados hacen comentarios sobre la empresa que pueden resultar sumamente útiles a la hora de integrarse. La finalidad de este hechizo es tener un buen comienzo en una nueva empresa. Deberá realizarse la noche anterior al primer día de trabajo.

## ELEMENTOS NECESARIOS

Dos clavos de unos 4 cm, que no hayan sido utilizados – Un trozo de cinta púrpura y otro de cinta blanca, de 10 cm de longitud – Una vela púrpura y otra blanca.

## RITUAL

- Escribir con uno de los clavos, el nombre de la empresa en la que se va a trabajar en la vela púrpura y luego dejarlo a su lado.
- Escribir el propio nombre en la vela blanca con el otro clavo.
- Tomar el clavo con el que se ha escrito en la vela púrpura y clavarlo en su mitad, diciendo: «Así como este clavo llega al corazón de la vela, mi simpatía llegará al corazón de mis compañeros». (Para que esta operación resulte más fácil, se puede calentar un poco el clavo).
- Clavar el otro clavo en la vela blanca, del mismo modo, diciendo: «Mi voluntad y mi esfuerzo me allanarán el camino».
- Encender ambas velas y, cuando se hayan consumido, recuperar los dos clavos. Unirlos de modo que sus cabezas estén mirando para el mismo lado y atar en ellos una cinta púrpura y otra blanca.
- Dejar estos clavos en un cajón de la oficina. Si no fuera posible, llevarlos en un bolsillo.

## Para conseguir un ascenso

**97** Quienes se consideran a sí mismos capaces, con buenas dotes de mando y con habilidad para organizar el trabajo, generalmente aspiran a ser promovidos, a ir ocupando puestos que entrañen una mayor responsabilidad. Se ha demostrado que las personas que logran cumplir estos objetivos son aquellas que tienen muchos contactos dentro de la empresa, que son conocidos y que acostumbran a intercambiar datos y favores entre diferentes departamentos. Este hechizo se realiza con el fin de subir de categoría y debe ser realizado por el interesado.

Algo que la gran mayoría de la gente ignora es que las promociones no son retribuciones justas que las empresas hacen a algunos empleados que han desarrollado eficientemente su labor sino peldaños a los que pueden escalar unos pocos que ponen en ello un gran empeño. Los expertos aseguran que cuatro de cada cinco empleados que son promovidos a puestos más altos tenían una buena red de contactos dentro de la empresa. Eso no quiere decir, de ningún modo, que les hayan dado un buen puesto por amiguismo sino que el tener relación fluida con varios departamentos y ser conocido dentro de la compañía sirve de impulso para acceder a puestos directivos. Por ello es recomendable participar en los eventos sociales ya que, quienes pretenden hacer este tipo de carreras en solitario, difícilmente llegan a la meta que se han propuesto.

La relación con el jefe directo es otro elemento crucial ya que será él quien hable en su favor o en su contra a las personas que ocupan puestos directivos de su mismo nivel o más altos.

Hay quienes consideran vergonzoso el deseo de ocupar cargos de mayor responsabilidad; sin embargo son muy pocos aquellos que, si se les ofrecen, sean capaces de rechazarlos. Este es un pensamiento que puede resultar positivo ya que con él se anularán los temores a ser calificado de «trepa» y se actuará con mayor naturalidad para conseguir el ascenso deseado.

Este hechizo sirve para desarrollar la intuición necesaria que guíe los pasos hacia una promoción. Deberá iniciarse en día jueves y el altar deberá permanecer en su sitio hasta haber conseguido el ascenso.

### ELEMENTOS NECESARIOS

Tres velas de diferente altura: la más alta deberá ser roja; la mediana, amarilla y la de menor, blanca – Un vaso de agua y otro de vino – Un paño amarillo – Un cuenco con arroz – Un cuenco con caramelos o pastillas.

### RITUAL

- Disponer un altar colocando el paño amarillo y, sobre él, las tres velas de la siguiente manera: la roja a la izquierda, la amarilla en el centro y la blanca a la derecha, dejando un espacio entre sí. Pueden ponerse sobre platitos o sobre algún soporte para que se mantengan erguidas.
- Entre la vela roja y la amarilla, colocar un vaso de vino. Entre esta y la blanca, uno de agua.
- Frente a este conjunto, situar a la izquierda un cuenco o copa con caramelos o pastillas. A la derecha, uno con arroz.

- Encender las tres velas, con cerillas, en este orden: roja, amarilla y blanca.
- Echar un grano de arroz dentro de la copa de agua diciendo: «Invoco a Júpiter para que me conceda lo que me corresponde».
- Dejar arder las velas durante diez minutos y luego apagarlas en el mismo orden en que se han encendido.
- En los días subsiguientes, deberán encenderse del mismo modo las tres velas y echar el grano de arroz en el agua.
- Cuando la vela blanca se haya consumido, encender todos los días las otras dos y poner un caramelo o pastilla dentro del vaso de vino, diciendo: «Lo principal ya está hecho; mi fe hará que se conceda mi deseo».

## PARA CONSEGUIR UN AUMENTO DE SUELDO

**98** La petición de un aumento de sueldo exige una planificación previa ya que, cuanto más coherentes y convincentes sean los motivos que se aducen, mayores posibilidades habrá de lograr el objetivo. Es necesario buscar el momento más apropiado para plantearla; lo mejor es hacerlo en aquellos períodos de tranquilidad que suceden a los de gran estrés. El hechizo que aquí se explica tiene como fin preparar mentalmente al oficiante para pueda conseguir el aumento. Su ejecución dará las energías y lucidez suficientes para convencer a quien deba autorizarlo.

La petición de un aumento de sueldo no es un asunto que deba improvisarse; por el contrario, es necesario prestar atención a una serie de detalles antes de realizarla a fin de que el aumento sea concedido.

Antes de presentarse ante el jefe para realizar la solicitud, es necesario planificar cuidadosamente los argumentos que se van a emplear teniendo en cuenta que los aumentos se conceden no por los problemas personales que tengan los empleados (pagos de hipotecas, pérdida de trabajo del cónyuge, etc.) sino por su desempeño; por ello no tiene sentido utilizar estos como elementos de convicción.

Es importante, también, escoger un momento en el cual no haya asuntos urgentes que resolver (balances, presentación de informes a la junta, etc.) porque de este modo se contará con una actitud más abierta y receptiva por parte del jefe.

Durante la conversación, debe evitarse hacer comparaciones con otros compañeros; es necesario

poner de relieve la labor que se realiza pero sin acusar a los demás ni presentarse como víctima. La cantidad que se solicite también debe ser estudiada previamente ya que es muy posible que el jefe pregunte cuánto se quiere ganar. Cuanto más razonable sea la cifra, mayores posibilidades habrá de conseguirla.

El presente hechizo tiene por objeto lograr estos objetivos y preparar, a quien lo realice, para tener una conversación convincente con sus superiores. Debe comenzarse en el momento en que se decida dar este paso y continuarse hasta haber conseguido el aumento.

## ELEMENTOS NECESARIOS

Una vela amarilla o dorada – Doce monedas doradas – Un cuchillo – Doce hojas de laurel.

## RITUAL

- Cortar la punta de la vela con un cuchillo y hacer en el corte una muesca para saber luego que esa es su parte superior.
- Dividir la vela en doce sectores, haciendo en ellos una muesca profunda con el cuchillo.
- Insertar en cada corte una moneda. Esta se puede entibiar acercándola al fuego (sin que se caliente demasiado) a fin de que entre con mayor facilidad en la vela. No deben quedar totalmente enterradas sino sólo hasta la mitad, de modo que formen una escalera. La cara debe quedar hacia abajo; es decir, hacia la parte inferior de la vela.

- Cuando se haya finalizado esta preparación previa, derretir con una cerilla la punta de la vela en la que se ha hecho el corte y pegarla sobre un plato u otra superficie plana, a fin de que quede erecta, teniendo cuidado de que las monedas no se desprendan.

- Todos los días, se encenderá la vela y se quemará en ella una hoja de laurel al tiempo que se dice: «Las fuerzas del Universo saben que sólo pido lo que me corresponde. El tiempo se agota y pronto conseguiré lo que me está destinado».

- Cuando la vela se haya consumido hasta la siguiente moneda, apagarla. Al día siguiente, volver a repetir esta operación.

# PARA MEJORAR LAS RELACIONES CON EL JEFE

**99** Hay muchos tipos de jefes; algunos buenos y otros no tanto. Entre estos, abundan los que consideran que sus ideas son las únicas que valen, los que no escuchan a sus empleados y que, en lugar de motivarlos, les agobian con órdenes o amenazas. La mejor manera de establecer una buena relación con ellos es presentarle resultados y no mostrar en ningún momento sumisión ni timidez ya que suelen ensañarse con los más débiles. Este hechizo tiene por objeto mejorar las relaciones con los superiores directos. Deberá realizarlo el interesado.

El cometido de un jefe es obtener el mayor rendimiento posible de los empleados que están bajo su mando, al menor coste para la empresa. Eso no significa que un buen jefe sea aquel que no da respiro a los trabajadores y pacta sueldos bajos, ya que los expertos han demostrado que un empleado descontento produce menos. La labor de un jefe no es «mandar» sino organizar, enseñar, motivar, dar ejemplo y, en ocasiones, actuar como juez cuando se presentan conflictos entre quienes trabajan en su departamento.

Hay personas que, cuando ocupan un puesto de liderazgo, imponen una obediencia ciega y sólo escuchan sus propios criterios; sienten que han nacido para dirigir y que su cometido es hacer que sus órdenes se cumplan sin chistar. Ante ellos, la mejor manera de actuar es presentar resultados y no permitir en ningún momento la menor falta de respeto por su parte, ya que estas personas suelen agravar su mal comportamiento con los más débiles o sumisos.

Los jefes indecisos o que no saben imponerse también resultan problemáticos ya que suelen apoyarse en los empleados más competitivos, creando muchas injusticias en sus departamentos. Este ritual se realiza con el fin de mejorar las relaciones con quienes ocupan puestos jerárquicos. Debe iniciarse en martes, por la noche.

### ELEMENTOS NECESARIOS

Un limón – Un paquetito con arroz – Tres hojas de menta o hierbabuena – La cáscara de un huevo – Una vela blanca – Una botella o un frasco pequeño, limpio y seco.

### RITUAL

- Encender la vela con cerillas.
- Exprimir el zumo de limón y, con la ayuda de un embudo, meterlo dentro del frasco sin que se derrame una sola gota. Deberá procurarse que no caigan dentro las semillas.
- Quitar a la cáscara del huevo la membrana blanca que recubre su interior. Machacarla con un mortero o con un rodillo y echarla dentro del frasco.
- Echar las tres hojas de hierbabuena y agitar vigorosamente el preparado.
- Llevar este frasco al lugar de trabajo y, todos los días, nada más llegar, echar dentro un grano de arroz diciendo: «Que la armonía reine en este lugar y que la paz descienda sobre (nombre del jefe)».
- A continuación, mojar el dedo medio de cada mano en el zumo de limón, tocarse con ambos las sienes y comenzar las tareas del día.

# PARA MEJORAR LAS RELACIONES CON LOS COMPAÑEROS

**100** Las relaciones con los compañeros de trabajo no siempre son todo lo fluidas y amables que deseamos. En ocasiones tenemos que tratar con personas inabordables, con hombres y mujeres que se adjudican los méritos de los demás o con trabajadores improductivos que procuran que los demás hagan todos los trabajos desagradables. El hechizo que aquí se explica tiene por objeto mejorar las relaciones del oficiante con las personas que trabajan con él.

El entorno laboral suele ser un buen caldo de cultivo para generar sentimientos positivos pero, también, negativos ya que en él conviven personas muy diferentes entre sí, a las que en ocasiones no une nada más que el trabajo que realizan en común.

Los responsables del ambiente que se respira en una empresa son los que ocupan los puestos jerárquicos; si estos son justos y prestan atención a las necesidades de los trabajadores, las labores se realizan en un entorno de armonía y concordia; pero si se muestran injustos, si caen en el favoritismo o estimulan una competitividad exagerada para aumentar la producción, el clima se envicia y el trabajo se entorpece. Una buena medida para no tener problemas con los compañeros es no prestar oídos a quienes hacen comentarios desagradables sobre los demás y, mucho menos, hacerlos uno mismo.

Este ritual se realiza con el fin de mejorar las relaciones entre compañeros. Puede hacerse cualquier día de la semana.

## ELEMENTOS NECESARIOS

Un folio y un lápiz – Tijeras – Una taza pequeña de té; otra de café y una tercera de azúcar – Cinco velas de los siguientes colores: rojo, amarillo, blanco, púrpura y azul – Una caja pequeña – Un trozo de papel de plata – Un trozo de cinta blanca – Una taza con arena – Un paño blanco, cuadrado, de 50 x 50 cm aproximadamente.

## RITUAL

- Extender el paño blanco sobre el lugar de trabajo a fin de poner en él todos los ingredientes.
- Colocar las cinco velas en el siguiente orden: la blanca a la izquierda; a su lado, sucesivamente, la amarilla, la roja, la púrpura y la azul. Conviene ponerlas sobre un papel de plata o sobre una bandeja (mejor plateada) a fin de poder recogerse después la cera.
- Poner la caja frente a las velas y los restantes ingredientes, a su derecha.
- Encender las velas de derecha a izquierda, comenzando por la azul.
- Escribir en el folio los nombres de todos los compañeros de trabajo. Luego, recortarlos.
- Poner los papeles con los nombres dentro de la caja y echar sobre ellos una tacita de té, otra de café y una tercera de azúcar. Remover bien todos estos ingredientes.
- Echar en la caja una taza de arena cubriendo los demás ingredientes al tiempo que se dicen estas palabras: «Que el poder de la Tierra fomente las buenas energías con mis compañeros».
- Cuando las velas se hayan consumido, poner dentro de la caja la cera de todas ellas. Cerrarla y atarla con una cinta blanca. Guardar la caja en un lugar donde nadie la toque.

## PARA NO PERDER EL TRABAJO

**101** La posibilidad de perder un puesto de trabajo, ya sea por cierre de la empresa, reducción de plantilla o por cualquier otro motivo, es un factor de tensión e inseguridad contra el que no hay muchas armas para luchar. Lo esencial es mantener la calma, no dar crédito a los rumores y prepararse para conseguir otro puesto en caso de que el despido se haga efectivo. Este ritual se emplea para evitar la pérdida del puesto o, en caso de que fuera más conveniente, para encontrar rápidamente un trabajo mejor.

Las empresas pueden pasar por períodos críticos en los cuales se ven obligadas a efectuar una reducción de plantilla o, peor aún, su cierre definitivo. Los directivos procuran ocultar a los empleados, durante el mayor tiempo posible, la gravedad de la situación; sin embargo llega un momento en que por diferentes vías eso trasciende creando ansiedad y preocupación en todos los estamentos.

Cuando se tengan noticias de esta naturaleza es importante mantener la calma, pensar con serenidad y no dar demasiado crédito a la gran cantidad de datos y rumores, a menudo contradictorios, que circulan por los pasillos. Lo mejor es dirigirse al superior inmediato, hacerle saber que tales comentarios existen y preguntarle hasta qué punto son veraces. Una buena medida puede ser empezar a enviar currículos a otras empresas para anticiparse a lo que pudiera acontecer o comentar entre las personas conocidas la situación que se está viviendo de manera que, si alguna de ellas sabe de alguna vacante en otra empresa, se puedan hacer las gestiones necesarias para ser contratado en caso necesario.

Este ritual tiene por objeto evitar ser despedido, ya sea por problemas propios de la empresa o por falsas acusaciones. Deberá hacerse ni bien se tenga noticias de que eso podría suceder.

## ELEMENTOS NECESARIOS

Un clavo grande oxidado – Una taza pequeña de dulce de membrillo – Una bolsa pequeña de plástico – Un trozo de tela amarilla – Una vela anaranjada y otra violeta – Tres hojas de laurel – Aguja e hilo.

## RITUAL

- Disponer en un lugar al aire libre (por ejemplo en el alfeizar de la ventana) una vela anaranjada y, a su derecha, otra violeta.
- Situar entre ambas la taza con el dulce de membrillo y luego, encenderlas.
- Introducir el clavo dentro del dulce de manera que quede completamente tapado y decir: «Me empeño en ser persona de bien; merezco que los dioses protejan mi trabajo».
- Dejarlo de este modo toda la noche al sereno.
- Al día siguiente, sacar el clavo de la taza y, sin lavarlo ni limpiarlo, meterlo dentro de una bolsita de plástico.
- Hacer un pequeño saquito con la tela amarilla y guardar en ella el clavo y las tres hojas de laurel.

- Cerrarla con una costura y esconderla en algún lugar del centro donde se trabaja.

# PARA GANAR UN JUICIO LABORAL

**102** Cuando las diferencias o conflictos suscitados entre un empleado y empresario son imposibles de solucionar, no queda más remedio que acudir a la justicia para que regule la situación entre ambos. Son procesos que generan mucha tensión, sobre todo desde que se presentan pruebas hasta que se dicta la sentencia. Este ritual tiene por objeto conseguir que el juez que atiende la causa falle a favor de quien lo realiza, independientemente de una parte o de otra.

Cuando las relaciones laborales entre un empresario y un empleado llegan a un punto crítico, no queda otro remedio que acudir a las autoridades judiciales para resolver el conflicto. El tiempo que dura un juicio de estas características varía según el país donde se realice; en algunos casos la sentencia puede demorarse meses, e incluso sobrepasar el año, dejando al trabajador en una situación muy difícil ya que no puede acogerse a ningún tipo de subvención social.

Lógicamente, lo mejor es no llegar a esta situación, aclarar todos los malentendidos y negociar lo mejor posible con la parte contraria, pero si no queda otro remedio, es importante presentarse al juzgado teniendo las mayores posibilidades de éxito.

El ritual que se explica a continuación puede realizarlo tanto el empleado como el empresario. Tiene por objeto ganar el proceso judicial y obtener la mayor compensación posible. Deberá iniciarse en jueves, dedicado a Júpiter.

## ELEMENTOS NECESARIOS

Siete hojas de ruda – Siete hojas de laurel – Un frasco – Dos vasos nuevos, que no hayan sido utilizados – Aceite – Un cuarzo amatista – Una cucharada de sal gorda – Una vela morada – Un trozo de tela morada.

## RITUAL

- Poner el aceite en el vaso nuevo. Añadirle las siete hojas de ruda, las de laurel y el cuarzo amatista y dejarlo toda la noche al sereno.
- Al día siguiente, encender la vela morada.
- Poner agua en el segundo vaso y echar dentro una cucharada de sal gorda. Remover bien.
- Sacar el cuarzo del interior del aceite y ponerlo dentro del vaso con agua. Guardar el aceite con las hojas en un frasco.
- Al tercer día, sacar el cuarzo del vaso de agua, dejar que se seque al aire libre y luego envolverlo en el paño morado.
- Toda vez que se acuda al juzgado o al despacho de los abogados que llevan el juicio, mojar los dedos en el aceite del frasco y pasarlos luego por la planta de los pies, por las muñecas y por las sienes. Llevar en algún bolsillo el cuarzo envuelto en el paño.
- Una vez terminado el proceso, echar el aceite en una vasija con tierra o en el campo. La piedra podrá guardarse en agua con sal y utilizarse en otros hechizos.

## PARA ALEJAR A UN COMPAÑERO COMPETITIVO

**103** La proximidad con un compañero competitivo puede motivar un gran estrés laboral ya que obliga a cuidarse constantemente las espaldas, a reclamar los propios méritos antes de que él se los adjudique, a justificar el propio trabajo, a luchar a brazo partido por las mejores oportunidades, etc. Este ritual tiene por objeto protegerse de un compañero que pretenda sobresalir por encima de los demás, alterando el buen funcionamiento de un equipo. Deberá hacerlo cualquier persona que trabaje con él.

Las plantillas que componen las empresas están formadas por unos pocos jefes y un número mucho mayor de trabajadores. La ventaja de los primeros es que los puestos que ocupan están mucho mejor remunerados y eso hace que sean cargos sumamente codiciados por todos.

A medida que los jefes se van jubilando, los directivos a menudo nombrar a una persona de su mismo departamento para que ocupe su puesto; es decir, la promueven. Suelen escoger a aquellos trabajadores que, a lo largo de su desempeño, han demostrado lealtad y condiciones para ejercer las funciones directivas y organizativas que la jefatura requiere. Esto hace que algunas personas, sumamente competitivas, intenten hacer todo lo posible por estar siempre por encima de sus compañeros con la esperanza de ocupar el despacho del jefe el día de mañana. No dudan en poner zancadillas a los demás, en apropiarse del trabajo ajeno, en colgarse medallas que no les corresponden ni en mostrarse serviles con los que mandan. Suelen hacer, constantemente, comentarios desfavorables sobre los demás y tratan de asegurarse su posición utilizando todo tipo de tretas. Tenerlos cerca es una auténtica pesadilla.

Este ritual sirve para alejar a un compañero competitivo y, también, para calmar su ambición. Deberá realizarse en día martes.

## ELEMENTOS NECESARIOS

Un frasco con alcohol – Una cucharada de manzanilla – Una cucharada de hojas de lavanda – Un frasco con sal gorda – Una vara de incienso de violetas – Papel y lápiz – Una moneda de curso legal – Una vela blanca.

## RITUAL

- Poner dentro de un frasco, la moneda; luego, llenarlo de sal.
- Clavar en la sal la vara de incienso de violetas.
- Encender el incienso y la vela, con cerillas.
- Poner dentro del frasco de alcohol una cucharada de manzanilla y otra de hojas de lavanda. Agitar bien.
- Dejar reposar el alcohol y la sal hasta que la vela y el incienso se hayan consumido.
- Vaciar la sal en un cuenco a fin de recuperar la moneda. Remover la sal con la mano izquierda para que se mezcle con las cenizas del incienso.
- Al día siguiente, en el lugar de trabajo, embeber un algodón con alcohol y pasarlo por el escritorio o la silla que se emplea para crear una barrera.
- Dirigirse al lugar donde se sienta el compañero competitivo, dejar caer allí tres granos de sal (mejor debajo de su silla) y la moneda (puede ponerse sobre su mesa), al tiempo que se dice: «Ya tienes lo que buscas; ahora, apártate de mí».

# PARA QUE NO HABLEN MAL DE TI

**104** Es habitual que en los centros donde trabajan muchas personas circulen rumores acerca de la vida de unos y de otros. En ocasiones, se distribuyen con el fin de mellar la reputación de algún empleado, de estropear la imagen de los más competentes con el fin de impedirle su acceso a puestos más altos o a una mejor posición dentro de la empresa. Este ritual se realiza para impedir que se hagan comentarios sobre la propia persona o para que no se sigan esparciendo los que ya circulan en el entorno. Deberá efectuarlo el interesado.

A las personas psicológicamente fuertes, no les importa demasiado que otras hablen mal de ellas porque se sienten seguras y saben que, tarde o temprano, quienes tienen valores positivos se tomarán la molestia de conocerlas personalmente antes de dar crédito a los rumores. Aun así, la calumnia puede crear serios problemas en el entorno laboral ya que no siempre se cuenta con el tiempo suficiente para que las mentiras sean descubiertas.

Hay quienes sienten un malsano placer en hablar mal de los demás; que se esmeran en conocer detalles de la vida privada ajena, cuanto más escabrosos mejor, para tener tema con el que amenizar las conversaciones y erigirse así en centro de interés general. Es importante detectar su vicio a tiempo y no contarles jamás detalles que, convenientemente tergiversados o sacados de contexto, puedan ser usados para malograr la propia imagen.

Este hechizo se realiza con el fin de evitar los comentarios desfavorables sobre la persona del oficiante. Deberá hacerse en miércoles, dedicado a Mercurio.

## ELEMENTOS NECESARIOS

Un espejo de mano, pequeño – Dos hojas de laurel – Una pizca de canela – Una pizca de azúcar – Una vela blanca – Cinta adhesiva – Pegamento – Un trozo de plástico.

## RITUAL

- Encender la vela, con cerillas.
- Poner pegamento en la parte posterior del espejo y espolvorear sobre él la pizca de canela y el azúcar.
- Pegar en su centro las dos hojas de laurel de modo que formen una cruz. Conviene que las hojas estén sanas, sin roturas ni deterioros.
- Envolver el espejo en un trozo de plástico (puede utilizarse el film que se emplea para envolver alimentos).
- Cerrarlo con tres gotas de cera de la vela.
- Sujetar el espejo debajo de la silla que se use en el trabajo o bien debajo del escritorio. Conviene poner bastante cinta adhesiva o pegamento para que no se despegue.

# PARA SATISFACER A UN JEFE EXIGENTE

**105** La ventaja de trabajar con un jefe exigente es que debemos esforzarnos al máximo, dando lo mejor de nosotros mismos; de este modo, adquirimos una valiosa experiencia y conocimiento de nuestro oficio. Sin embargo, si además de exigir el jefe no sabe valorar nuestro trabajo y nunca está conforme con lo que hacemos, nos creará un desagradable sentimiento de impotencia y frustración que nos llevará a la total desmotivación. Este ritual se realiza con el fin de conseguir que un jefe, por exigente que sea, reconozca nuestra labor.

El hecho de que un jefe sea exigente con sus empleados no es necesariamente un factor negativo ya que, con su actitud, impulsa el crecimiento profesional de quienes están bajo su cargo. Sin embargo, cuando un jefe no sabe reconocer los méritos de quienes trabajan en su departamento, se produce el descontento, la desmotivación y el bajo rendimiento de los trabajadores.

Hay jefes que no parecen estar nunca conformes, que exigen cada día más y más siendo incapaces de valorar cualquier esfuerzo. Creen que con esta actitud, o con las amenazas de sanciones o despidos, van a conseguir aumentar la productividad de sus empleados y contentar con ello a sus superiores.

Si bien este tipo de conductas pueden dar resultados en los que acaban de entrar en la empresa, no resultan efectivas a largo plazo porque los empleados se cansan, viven la situación como injusta y terminan perdiéndole todo el respeto.

Este ritual tiene por objeto hacer que un jefe exigente se sienta satisfecho con el trabajo que se le presenta. Antes de realizarlo conviene hacer un examen de conciencia que indique si, realmente, se está haciendo todo lo posible para realizar el trabajo con la mayor eficacia posible. Deberá ser efectuado en día sábado.

## ELEMENTOS NECESARIOS

Una pila – 15 o 20 argollas plateadas de diámetro superior al de la pila – Una trozo de cinta roja y otro de cinta amarilla, de unos 15 cm de longitud – Una vara de incienso de sándalo – Un folio y un lápiz – Un clavo – Un paquete de sal gorda – Una vela marrón.

## RITUAL

- Encender la vela y el incienso con cerillas.
- Pasar las argollas por la pila, de modo que esta quede totalmente cubierta (la cantidad dependerá del tamaño de la pila).
- Pasar entre la pila y las argollas, los dos trozos de cinta y atarlos de manera que las argollas queden unidas.
- Escribir en un papel el nombre del jefe y el de la empresa.
- Envolver el clavo en el papel que se ha escrito (recortar lo que sobre) y encajarlo entre las argollas y la pila.
- Dejarlo dos noches al sereno y el lunes, cuando se vaya a trabajar, llevar el clavo y dejarlo en el despacho del jefe o cerca de su asiento diciendo interiormente: «Aquí tienes toda mi energía; con ella te conformarás».

# HECHIZO DE PROTECCIÓN PERSONAL

## 106

Hay objetos que parecen atraer la buena suerte en tanto que otros, propician los malos momentos. Habitualmente usamos o tenemos cerca los primeros cada vez que necesitamos conseguir algo difícil o que nos provoque mucha ansiedad ya que su cercanía nos tranquiliza interiormente y nos permite actuar con mayor eficacia. Este hechizo sirve para reforzar el poder de un objeto, para infundirle energías positivas que servirán para protegernos de todo mal y para atraer experiencias agradables.

Desde la más remota antigüedad, los hombres de todas las culturas realizaron rituales destinados a cuidar la integridad física. En tiempos en que los hombres iban a la guerra, en que la medicina no tenía solución para las diferentes enfermedades, pestes y accidentes que se producían en las ciudades y en el campo, era necesario utilizar la magia para atajar estos problemas antes de que se produjesen.

En muchas tumbas descubiertas por los arqueólogos se han encontrado anillos, sortijas y amuletos que tenían este fin y hasta nuestros días llegaron antiguos conjuros que, junto con otros que fueron creados por generaciones posteriores, se han ido transmitiendo oralmente en el seno de la familia porque se consideraron los más efectivos.

El hechizo que se presenta a continuación sirve para protegerse de todo mal: de accidentes, robos, enfermedades, injusticias, etc. La magia que se produzca actuará a través de un objeto personal cuya presencia forme un escudo energético que nos aísle de situaciones desagradables.

Conviene que este objeto sea pequeño a fin de poder tenerlo cerca en todo tiempo y lugar. También es recomendable que pueda ser colgado al cuello o prendido a la ropa.

El ritual deberá hacerlo el interesado, en viernes por la noche y con Luna creciente o llena.

## ELEMENTOS NECESARIOS

Un objeto personal – Una cabeza de ajos – Cinco velas blancas – Una cinta azul, de unos 3 m – Un trozo de tela roja – Un cuadrado de tela azul, de 50 x 50 cm aproximadamente.

## RITUAL

- Disponer sobre la mesa el paño azul y colocar una de las velas (de ahora en adelante vela n.º 1, junto a la mitad del borde superior.
- Disponer las restantes de modo que formen un círculo, en sentido de las agujas del reloj. En adelante serán denominadas como velas n.º 2, 3, 4 y 5.
- Atar un extremo de la cinta en la vela n.º 1 y, sin cortarla, darle una vuelta sobre la vela n.º 3, creando de este modo una diagonal.
- Seguir trazando líneas con la cinta, sin cortarla en ningún momento, tal y como se ha hecho entre las velas 1 y 3, según el siguiente patrón: de la vela 3, a la 5; de la 5, a la 2; de la 2, a la 4 y de esta, a la vela n.º 1. Se observará que el dibujo trazado por la cinta es el de una estrella.

- Colocar en el centro de la figura así formada el objeto personal y disponer los dientes de la cabeza de ajo alrededor de la estrella, de modo que guarden, aproximadamente, la misma distancia entre sí.
- Tapar el objeto personal que se ha elegido con un trozo de tela roja. Una vez tapado, echar sobre éste un poco de tierra diciendo: «Que el poder de la Tierra proteja mi cuerpo».
- Salpicar el paño rojo con un poco de agua, diciendo: «Que el poder del Agua proteja mis sentimientos».
- Soplar tres veces sobre el paño rojo, diciendo: «Que el poder del Aire me libre de los pensamientos negativos».
- Encender todas las velas, comenzando por la nº 1, y decir: «Que el poder del Fuego guíe mi voluntad».
- Llevar este objeto consigo en todo momento.

## HECHIZO DE PROTECCIÓN DEL HOGAR

**107** El hogar es nuestro refugio; un lugar donde somos nosotros quienes imponemos las normas, donde podemos vivir con absoluta libertad. Por ello es necesario protegerlo de cualquier tipo de intromisión. No es deseable permitir la entrada en nuestra casa a personas que tengan una energía negativa, que la carguen con malas vibraciones, pero el problema es que no siempre somos capaces de detectarlas. El objeto de este hechizo es guardar nuestro hogar, haciendo que, quienes no aportan buenas energías en él, se sientan incómodos y permanezcan en su interior el menor tiempo posible.

El hogar es el refugio del hombre; es un espacio en el cual puede imponer sus propias normas y tomar las decisiones que crea convenientes. Dentro de su casa, no sólo se siente seguro sino, también, libre para decir y hacer lo que quiera. Allí, también guarda sus pertenencias, todo aquello que ha podido adquirir a lo largo de la vida ya que, en principio, ese lugar es inviolable; a él sólo pueden acceder las personas que su dueño elija.

Todas las culturas buscaron la protección de sus hogares por medios mágicos; ya sea colgando en ellos amuletos, realizando rituales o haciéndolas bendecir por sus sacerdotes. En el antiguo Egipto, por ejemplo, solían tener algún gato dentro de la casa porque entendían que este animal la protegía así como a las mujeres que habitaban en ella.

El hechizo que se explica a continuación sirve para confeccionar un amuleto que proteja la vivienda y a sus moradores. Sirve para prevenir los accidentes, las roturas e, incluso, la entrada de ladrones o gente indeseable. Deberá hacerlo cualquier miembro de la familia, iniciándolo preferiblemente en lunes por la noche.

## ELEMENTOS NECESARIOS

Un huevo – Un plato con harina – Una piedra blanca – Una vela blanca, lo más lisa posible – Una bolsa de escayola – Un recipiente rectangular, de plástico, de unos 15 cm de longitud – Una cucharada de miel – Un lápiz.

## RITUAL

- Poner harina en un plato y, en su centro, un huevo. Dejarlo junto a la puerta de entrada de la casa durante toda la noche.
- Al día siguiente, untar la vela con miel y encenderla.
- Escribir en la piedra las iniciales de todas las personas que vivan en la casa. Luego, derramar sobre ella la cera de la vela hasta que quede totalmente cubierta.
- Romper el huevo sobre la harina y trabajarla con un poquito de agua hasta que quede una masa firme. Una vez hecho esto, envolver la piedra con la masa, haciendo una bola.
- Dejarla secar durante tres noches.
- Una vez que la masa esté seca, poner agua en el recipiente de plástico hasta casi el borde. Echar dentro la escayola, poco a poco y sin remover, hasta que ya no se vea agua en la superficie.
- Introducir la bola que se ha hecho dentro de la escayola y dejar que esta frague. Una vez que esté completamente dura, sacarla del molde.
- Dibujar con un objeto puntiagudo una espada en cada una de sus caras.
- Poner la placa de escayola junto a la puerta de entrada. Si se desea, se la puede pintar de negro.

## HECHIZO DE PROTECCIÓN DEL TRABAJO

**108** Los centros de trabajo son lugares que siempre están expuestos a las energías negativas, ya sea las que dejan algunas de las personas que no atienden su trabajo como debieran y otras que tienen hacia la empresa o hacia sus compañeros sentimientos negativos (envidia, celos profesionales, etc.). El objetivo de este ritual es crear un amuleto que libre a su portador de estas nefastas influencias. Deberá ser realizado por el interesado en martes.

Los lugares de trabajo, sean negocios u oficinas, son sitios en los cuales entra y sale gente constantemente. Algunas de las personas que llegan a ellas tienen energías positivas y muestran una buena disposición hacia el lugar pero otras, en cambio, despliegan vibraciones negativas que ensucian el ambiente dando lugar a diversos malestares y conflictos. También los compañeros pueden generar un clima malsano ya que en los lugares de trabajo suele haber envidia, competitividad, celos profesionales y una gran variedad de sentimientos que no ayudan a mantener la armonía y que entorpecen la labor en común.

El ritual que se explica a continuación se realiza con el fin de crear un amuleto, un objeto mágico que nos preserve de todo mal en el trabajo; que nos aísle de los sentimientos negativos de los demás y, a la vez, nos proporcione la energía y motivación necesarias para desarrollar de la mejor manera posible las tareas que nos sean encomendadas. Deberá iniciarlo en martes la persona que lo vaya a utilizar.

## ELEMENTOS NECESARIOS

15 clavos – 15 alfileres – 15 chinchetas – Tres limones pequeños – Tres trozos de tela de 15 x 15 cm: uno blanco, uno amarillo y otro rojo – Una vela blanca – Una varita de incienso de patchuli.

## RITUAL

- Encender la vela blanca y el incienso.
- Clavar en uno de los limones los quince clavos.
- Derramar sobre el fruto un poco de la cera de la vela y luego envolverlo en el paño rojo. Apagar la vela y el incienso.
- Al día siguiente, dejar el limón en una de las papeleras del lugar en que se trabaja diciendo: «Que los malos sentimientos salgan de este lugar». Se puede envolver el paquete con papel, para que nadie lo abra. Si no hubiera papeleras, dejarlo en la calle junto a la puerta de entrada.
- Por la noche, encender la vela y el incienso y clavar en otro limón los alfileres, al tiempo que se dice: «De los enemigos que aún queden, líbrame Señor».
- Envolver el limón en el paño amarillo, apagar la vela y el incienso. Al día siguiente, dejarlo, como el anterior, en una papelera.
- En la tercera noche, encender nuevamente la vela y el incienso y clavar las chinchetas en el limón restante diciendo: «De los enemigos pequeños, me ocupo yo».
- Envolver el limón en un paño blanco y dejarlo junto a las velas hasta que se consuman.
- Este limón deberá guardarse en el lugar de trabajo (en un cajón, en algún lugar donde nadie lo vea).

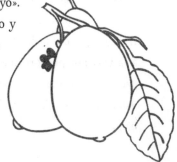

## HECHIZO DE PROTECCIÓN EN LOS VIAJES

**109** En los viajes pueden surgir contratiempos de toda índole: atascos en la carretera, problemas en el cruce de fronteras, desperfectos en el coche, retrasos en los aeropuertos o diferentes problemas en el lugar de destino. Son situaciones que no podemos prever con antelación y ante las cuales nos sentimos impotentes y frustrados ya que estropean las planificaciones que hayamos podido realizar. Este ritual se realiza con el fin de no tener contratiempos en los viajes. Sirve, también, para calmar el miedo que experimentan muchas personas al tener que coger un avión.

Pese a las medidas impuestas por las autoridades de tráfico, todos los meses se registran varios accidentes en la carretera, algunos de los cuales resultan fatales. Lo cierto es que, a pesar de los avances tanto sociales como tecnológicos, el desplazarse de un lugar a otro no está exento de riesgos; un fallo en el motor, un pinchazo, la presencia de un conductor inexperto que haga una maniobra peligrosa pueden provocarnos retrasos y problemas. La pericia de un conductor no es garantía suficiente para tener un viaje tranquilo ya que, aun cuando no haya elementos que pongan en peligro nuestra vida, es muy probable que debamos sufrir retrasos debido a los atascos o a cualquier otro incidente.

Otros medios de transporte, como el tren o el avión, resultan más seguros sin embargo, muchas personas viven con una gran ansiedad la necesidad de utilizarlos.

Este ritual se realiza para crear un amuleto que nos proteja en todo tipo de viajes. Deberá realizarse en viernes, por la noche.

## ELEMENTOS NECESARIOS

Un huevo – Un cazo con medio litro de agua – Nueve hojas de roble – Un clavo de hierro (mejor usado o torcido) – Un plato con harina – Una piña (de pino) – Una vela blanca – Un paño blanco, de 10 x 15 cm aproximadamente.

## RITUAL

- Poner al fuego el cazo con el agua. Introducir en ella las hojas de roble y la piña y dejar que hierva durante cinco minutos. Pasados estos, retirarla del fogón y dejar que la cocción se enfríe.
- Cascar un huevo y quedarse con la cáscara. Quitarle la membrana blanca que recubre su interior y luego, machacarla en un mortero o dentro de una bolsa de plástico pulverizándola lo más posible.
- Encender la vela con cerillas.
- Mezclar la cáscara del huevo con la harina y luego añadirle un poco de la cocción que se ha preparado. Conviene no echar demasiada para que se pueda formar una masa sólida.
- Hacer una bola con la masa que se ha formado (si hubiera quedado pegajosa, añadir más harina). Hundir un dedo en el centro a fin de crear un hueco.
- Meter en el interior del hueco tres gotas de cera de la vela y el clavo.
- Cerrar la bola de forma que el clavo quede completamente cubierto. Dejarla secar al aire libre durante siete días. Apagar la vela.
- Cuando ya esté seca, hacer una bolsita con la tela blanca y guardarla en su interior. Este amuleto deberá llevarse en un bolsillo o lo más cerca posible del cuerpo durante los viajes.

## HECHIZO DE PROTECCIÓN CONTRA LA ENVIDIA

**110** Las personas envidiosas pueden causar muchos problemas a las que están cerca ya que no tendrán remordimientos a la hora de ensuciarles su imagen con mentiras y calumnias, de entorpecer cualquier gestión que quisieran realizar e, incluso, de enviar energías negativas con el fin de procurarles la mayor cantidad de tropiezos posible. El hechizo que se explica en este apartado sirve para protegerse de las personas envidiosas del entorno.

La envidia es un sentimiento de cólera y frustración que surge en algunas personas cuando, al compararse con otras, ven que estas tienen cualidades más sobresalientes. Lejos de tomarlas como modelo, de acercarse a ellas para aprender o pedirles consejo, les desean todo tipo de males. Si ven que un vecino está dando una fiesta y se está divirtiendo, por ejemplo, no dudan en llamar a la policía para cortarles su diversión; buscan afanosamente las imperfecciones de las personas agraciadas para convencerse de que no son tan bellas como parecen; calumnian a quienes tienen

éxito y no dudan en difamar a quienes les hacen sombra. En el fondo, son personas muy desgraciadas que se sienten inferiores ante los demás pero que no se atreven a reconocer sus carencias.

Aunque se hable de envidia al referirse a una persona rica o famosa, a quien realmente se envidia es a quienes están cerca: a la familia, a los amigos, a los compañeros de trabajo. En una palabra, a quienes estando en la misma situación y han logrado avanzar gracias a sus esfuerzos.

Este hechizo se realiza con el fin de protegerse contra las personas envidiosas. Deberá iniciarse en lunes.

## ELEMENTOS NECESARIOS

Un puerro – Una vela amarilla – Un vaso de agua – Un kilo de sal gorda – Una caja de alfileres – Una cinta verde de unos 15-20 cm – Un recipiente en el que quepa el puerro, a lo largo (puede ser una caja de zapatos) – Un frasco de alcohol.

## RITUAL

- Encender la vela amarilla.
- Poner una capa de sal en el recipiente y salpicar sobre ella unas gotas de alcohol.
- Deshojar el puerro, hoja por hoja, e ir poniendo estas sobre la sal. Cuando se haya hecho una capa, poner más sal y hacer otra capa. Continuar con este procedimiento hasta haber deshojado totalmente el puerro.
- Echar el resto de la sal en la caja, taparla y dejarla en un lugar a oscuras durante tres días.
- Al cabo de este tiempo, sacar las hojas de la caja y hacer grupos de dos o de tres con la cinta verde hasta haberlas prendido todas.
- Anudar los extremos de la cinta y colgar el objeto detrás de la cama o en algún rincón del dormitorio. Si se supiera el nombre de una persona envidiosa del entorno, se puede escribir su nombre en la cinta para protegerse de ella.

## PARA CURAR LA PROPIA ENVIDIA

**111** La envidia causa mayores estragos en la mente del envidioso que en la de la persona envidiada. Quien experimenta estos sentimientos, no tiene tiempo de ocuparse de su desarrollo personal, de conseguir lo que necesita para ser feliz, ya que su centro de atención son las personas a las que le gustaría ver en peor situación que la suya. Con el tiempo, sus pensamientos negativos afectan su sueño y provocan los síntomas físicos típicos del estrés. Este hechizo tiene por objeto curar la propia envidia. Puede hacerse con el fin de favorecer a otra persona.

El mayor daño que produce la envidia no es en la persona envidiada sino en el envidioso ya que, aunque haga todo lo posible por desmerecer a los demás, aunque les ponga piedras en el camino para que no le hagan competencia, siempre ve frustradas sus intenciones y vive con dolor cada logro ajeno.

Aunque le resulte difícil de reconocer, en el fondo el envidioso siente una profunda admiración por la persona que envidia; quisiera ser como él, tener su belleza, su gracia, su inteligencia o cualquier otra de sus cualidades que la convierten en persona interesante y atractiva. Nadie envidia lo que los demás tienen sino lo que los demás son.

Cuando la envidia no se cura a tiempo produce una serie de trastornos adyacentes: insomnio, falta de apetito, nerviosismo, angustia e, incluso, algunos problemas físicos que son típicos en el estrés. Pero resulta difícil que el envidioso admita que tiene un problema ya que, por lo general, se justifica a sí mismo diciendo que el mundo es injusto, que él no tiene lo que realmente le corresponde.

Este ritual tiene por objeto curar la envidia; conviene que sea realizado por la persona que la siente, aunque también puede hacerse para favorecer a otro. Deberá efectuarse en sábado, por la noche.

## ELEMENTOS NECESARIOS

Una piedra ojo de tigre – Una vela morada – Un espejo de mano, pequeño – Un trozo de tela negro.

## RITUAL

- Encender la vela morada, con cerillas.
- Poner sobre la mesa el espejo y cubrirlo con un paño negro.
- Cuando la cera de la vela empiece a derretirse, cubrir la piedra con ella diciendo: «No me importa lo que sean o hagan los demás; yo soy único y valioso».
- Una vez que la piedra haya quedado totalmente cubierta, mirar fijamente el paño que hay sobre el espejo, diciendo: «Aunque no veo nada interesante dentro de mí, sé que guardo muchos tesoros ocultos. Que las Fuerzas Superiores me ayuden a descorrer este velo para que mis cualidades salgan a la luz».
- A continuación, imaginar situaciones de éxito .
- Apagar la vela presionando el pabilo entre el índice y el pulgar.
- Al día siguiente, encender la vela, ponerse nuevamente ante el espejo y repetir la frase anterior. Una vez finalizada, apagarla.
- Al tercer día, encender la vela y descubrir el espejo, repitiendo el conjuro.
- Una vez que no se sienta más envidia, se podrá limpiar la piedra poniéndola en un cuenco con agua caliente.